ふしぎな中国

近藤大介

JN053295

講談社現代新書

2680

本文イラスト／村上テツヤ

まえがき

中国は、「ふしぎな国」である。

以前、現代中国を代表する作家の一人、余華《よか》氏と話し込んだ時、「中国という国をどう捉えたらよいか？」と問うてみた。すると、しばし黙考した後、こう答えた。

「中国はこの世のカオスである。中国について一つだけ確かなことは、誰にも明日の姿を予測できないことだ」

そんなアジアのワンダーランドに、天は贈物を授けた。それは、「漢字」である。

「はじめにことばがあり、ことばは神であった。（中略）ただ漢字だけが、いまもなお不死鳥のように生き残っていて、その巨大にして旺盛《おうせい》な生命力は、容易に枯渇《こかつ》をみせようとしない」――日本の漢字研究の第一人者・白川静博士（1910年〜2006年）は、著書『漢字』で、こう喝破《かっぱ》している。

幸いにして、同じ漢字文化圏の日本人には、漢字が理解できる。そこで、中国の34種類の新語・流行語・隠語を駆使して、現代中国の最新形を解明し、等身大の中国人を理解しようと試みたのが本書である。政治・経済・外交用語から、若者言葉、ネット上から消された禁句まで、まさに玉石混淆《ぎょくせきこんこう》だ。

「社恐」「仏系」「啃老族」「躺平」「yyds」「45度人生」「白蓮花」「猪拱白菜」「潤学」「共同富裕」「不忘初心」「学査改」「戦狼外交」「佩洛西竄台」「千年大計」「白衛兵」「動態清零」「新能源人」「埋頭苦幹」「三孩政策」「一国両制」「掃黄打非」「秒删」「西朝鮮」「九九六」「打工人」「外売騎手」「直播帯貨」「爛尾楼」「凡学」「迷惑行為」「錦鯉」「融梗」「恐婚族」

見て想像がつくものもあれば、チンプンカンプンのものも多いのではないか。一応、左記の目次にヒントをつけた。それぞれ独立した6ページのエッセイなので、興味を引いた言葉から読み進めてほしい。どの項にも村上テツヤさんの素敵なイラストがついている。

私は1980年代の終わりから、三十数年にわたって中国ウォッチャーを続けているが、「習近平《しゅうきんぺい》新時代」のいまほど、中国が読みにくい時代はない。かつ、今後ますます「ふしぎな国」になっていく気がする。

そんな中、新語・流行語・隠語は、中国社会の本質を摑《つか》む貴重な「生情報」だ。どうぞ気楽に読んで、一端《いっぱし》の中国通になっていただきたい。

近藤大介

目次

第1章　スマホ世代の中国人の素顔

社恐《シャーコン》

右の2文字と、じっと睨《にら》めっこする。出来損ないの会社員である私の耳元に、「会社が恐い」という声が聞こえてくる。だが、ここに書かれた「社」は、「会社」の意ではなくて「社交」の略。下の「恐」は、「恐懼症《コンジュイジェン》」（恐怖症）のことである。合わせて「社交恐怖症」。すなわち、他人と交わるのが恐くて、引きこもってしまう若者たちのことを指す。

中国を支配する共産党中央委員会に、機関紙の『人民日報』と並ぶ、宣伝部機関紙の『光明日報』という新聞がある。普段は共産党の方針などお堅い内容を掲載しているが、２０２０年8月30日付同紙が掲載した若者に関する記事が、中国社会で大反響を巻き起こした。

それは、「社恐」に関するものだった。今どきの中国の若者たちに、「あなたにもいわゆる『社恐』がありますか？」とアンケートを取ったところ、全国の２５３２人から回答が

あった。問題はその結果で、以下の通りだ。
「ある。内心では一切の社交活動を回避している」８６３人
「少しある。対面での交流よりも、オンラインでの意思疎通の方が、より好きである」７１０人
「『社恐』というものはないが、あえて気を入れて他人と交際しようとは思わない」８９０人
「ない。自分は他人とうまく交際をしている」69人

このように、「ある」と「少しある」を合わせると、回答者全体の62％にも達した。逆に、「他人とうまく交際している」と答えた若者は、全体のわずか２・７％しかいなかったのである。

この衝撃的な結果を受けて、社会学者から教師、メディアまで含めて、大論争になった。やや大仰に言えば、「このままでは中国が滅んでしまう」と、大人たちが危機感を抱いたのだ。

この記事を読んで衝撃を受けたのは、私も同様だった。１９８０年代末から１９９０年代にかけて、中国人と「邂逅《かいこう》した」私は、むしろ中国人が社交的すぎることに戸惑う日々だったからだ。

例えば、日本の夜の『ＮＨＫニュース７』にあたるＣＣＴＶ（中国中央電視台）の『新聞《シンウェン》聯播《リエンボー》』（夜7時〜7時半）は当時、男性アナウンサーの「友人たち、こんばんは」（朋友們《ポンヨウメン》、晩《ワン》上好《シャンハオ》！）という挨拶から始まっていた。会ったこともないアナウンサーの口から、毎晩この一言を聞くたびに、ドキリとしたものだ。この挨拶《あいさつ》は、現在でも朝と昼のニュースでは聞くことがある。

また、地方へ旅行に行くと、田舎のホテルでは、中国人の宿泊客たちがドアを開けっぱなしにしていることが多かった。ある時、私が中年男性にその理由を聞くと、「単身で出張に来ていて、寂しいからいつ誰が話し相手に入って来てもいいように開けてある」と言うのだ。「一回生《イーフイシエン》、両回熟《リアンフイシュー》、三回成朋友《サンフイチエンポンヨウ》」（1回目に関係が生まれ、2回目に関係が熟し、3回目に友達になる）という中国語の慣用句も教えてもらった。

彼と談笑しながら、私が「日本では男性の同僚と二人で地方出張に行く時でも、宿泊する部屋は必ず別々にする。『親しき中にも礼儀あり』というものだ」と説明すると、きょとんとした。そう言えば、私が1995年から翌年にかけて留学した北京大学も、全寮制の8人部屋で、プライバシーなど無きに等しかった。

だがそのうち、中国人がかくも社交好きなのは、中国社会がこの上なくハイリスクだからということが分かってきた。

中国社会は、暮らしてみると分かるが、まるで下りのエレベーターに乗って生活しているようである。日本ではじっとしていると、同じ場所にとどまるが、中国ではじっとしていると周囲に蹴落《けお》とされていく。そのため、常にじたばたと手足をもがいていないと、現状をキープすることすらおぼつかない。

日本は周囲を海に囲まれた中に、ほぼ単一民族が暮らしているから、のほほんとしていられる。ところが中国は、日本の約26倍も国土がある大陸国家で、ロシアやインド、北朝鮮など14ヵ国もの油断も隙《すき》もない国々に囲まれている。国内では、言語や宗教、食事や生活習慣などが異なる56もの民族が、14億4349万7378人（2020年11月1日現在の人口調査）も共生している。

そこでは日本とは比較にならない競争が展開されていて、いつ何時、どこから誰に攻撃されるか知れないのである。かつ求められるのは常に結果で、過程はあまり問われない。そのため油断も隙もない社会が形成されていて、悲しいかな「騙《だま》した者を叱る」より「騙された者を嗤《わら》う」ような風潮がある。

そうかといって、多くの人々は政府を信用していない。地域社会や所属する会社も信用していない。首都・北京では2021年の離婚率（結婚件数に対する離婚件数の割合）が57・26％に達したほどなので、ひょっとしたら家族さえ信用ならない。日本では「オシドリ夫婦」と言うが、中国では「オシドリも大難に遭《あ》うと各自で飛び立つ」（夫婦本是同林鳥《フーチーベンシートンリンニアオ》、大難臨頭各自飛《ダーナンリントウグーズフェイ》）と言う。

そうなると、中国人は一体誰を信用して生きているのか？　それは、「この人は信用できる」と自分の五感で判断した友人なのだ。そうした友人の友人も「準友人」とし、「友人の輪」を広げていくのである。「友人が一人増えれば、道が一つ開ける」（多一個朋友《ドゥオイーガポンヨウ》、多一条路《トゥオイーティアオルー》）という諺《ことわざ》もあるほどだ。

　ところが、それほど社交的だった中国人が、いまや日本の若者たち以上に、「社恐」に変身してしまったのである。

　その理由としては、第一に、「八〇後《バーリンホウ》」（１９８０年代生まれ）以降は、ほぼすべてが「一人っ子」で、物心がついた時から孤独に慣れていることが挙げられる。中国社会は共働きが当たり前なので、いわゆる「カギッ子世代」なのだ。

　第二に、スマホが普及したため、自宅でスマホで遊ぶ時間が急増したことである。「最高の友はスマホ」というわけだ。

　だが私は、もう一つ理由があると思う。それは前述のように、中国社会が様々な意味で、ハイリスクな社会であることだ。油断も隙もない社会が形成されているため、外出して誰かと何かをしようとすると、ひどく疲れるのだ。

　というわけで、若い「社恐人《シャーコンレン》」たちは、まるでカタツムリのように、自宅という殻《から》に閉じこもっているのである。

ただ、「病友《ビンヨウ》」と呼ぶ同じ「社恐人」同士は、SNSを通して繫《つな》がっていたりするので、完全に孤独というわけでもない。また、情報は基本的にスマホ経由で入手できるので、昔のように「友人の輪」が必須というわけでもない。

それでもこの先、日本の「八〇五〇《はちまるごまる》」(80代の親が50代の「引きこもり」の子供の面倒を見る)のような社会が出現するのは必須だ。しかも日本の10倍以上の規模で。

ちなみに、日本語の「引きこもり」は、「家里蹲《ジアリードゥン》」という新語を用いて訳している。「家里」は「家の中」、「蹲」はでんと座って動かない状態を指す。日本語の流行語の翻訳ではよくあるケースだが、台湾人が訳したものを、そのまま受け入れた。

「社恐」の類語に、「社死《シャースー》」がある。一層おどろおどろしげな言葉だが、2020年頃にSNS上で流行語になった時は、「社会性(社会的)死亡」の略だった。

例えば、職場である青年が同僚の女性にプロポーズした。だが女性にはまったくその気がないばかりか、「あの男にプロポーズされちゃったのよ」と職場で吹聴して回った。そんな時、青年が「我好社死啊《ウォーハオシャースーア》!」(オレもう社会的に死んだよ)とボヤくのだ。

だが2022年4月と5月、中国最大の経済都市・上海の市民たちが、コロナ禍を理由に「封城《フェンチェン》」(ロックダウン)された時も、彼らは連日、「社死」を発信し続けた。2500万人が強制的に「社死」に遭ったという意味で、こちらはより深刻な事態だった。

仏系《フォーシー》

「六〇後《リウリンホウ》」（１９６０年代生まれ）のエリート中国人たちは、俗に「六四世代《リウスーシーダイ》」と呼ばれる。

「六四」というのは、１９８９年６月４日、すなわち北京で天安門事件の悲劇が起こった日だ。その時代に青春を送ったことと、民主化運動に挫折したことを込めて、そのような言い方が定着した。

私は、日本の「六四世代」である。だが、もちろんそうは呼ばれていなくて、「バブル世代」である。

「バブル世代」という言葉にも、いまや哀愁《あいしゅう》が漂っている。「青春時代に贅沢《ぜいたく》ばかりして使えないオヤジ（オバサン）」という意味が、言外に込められているからだ。

まったくもってその通りなのだから、反論できない。特に、社内でパソコンに関する新システムが導入された時など、対応能力のなさが曝《さら》け出される。

周囲の若者たちに助けてもらうこともできるのだが、それは彼らにランチ時のネタを提供するようなものだ。「あのバブル世代のオヤジったら、こんなこともできないんだぜ」

「本当にお荷物社員だな……」

私のことなどどうでもよい。要は１９８９年の時点で、海を挟《はさ》んだ日本と中国には、別世界が広がっていたということだ。

中国の同世代の彼らは、一向にインフレを退治できない共産党政権に業《ごう》を煮やした。そして、政治を民主化して自分たちで望ましい社会を築いていこうと、拳《こぶし》を振り上げたのだ。

具体的には、政治の民主化を目指して解任され、非業《ひごう》の死を遂げた胡耀邦《こようほう》前総書記の追悼《ついとう》と称して、１００万人が集まれる天安門広場に集結した。そしてそのまま、広場を２ヵ月近くにわたって占拠し、抗議の声を上げたのだった。

だが、共産党政権の側も、中華民族同士が血で血を洗う「国共内戦」（１９４６～49年）を勝ち抜いた歴戦の長老たちが、当時はまだ健在だった。そのため、「たとえ１００万人死んでも、総人口のわずか０・１％に過ぎない」と開き直った。最後は、鄧小平《とうしょうへい》中央軍事委員会主席の命令一下、６月４日の未明に、人民解放軍の戦車部隊を天安門広場に突入させたのだった。

その結果、北京で１０００人以上の若者が斃《たお》れた。あの時の悲劇は、当時の中国の若者たちの運命を変えたばかりか、社会人になっての初仕事が天安門事件の報道だった東京の青年記者の運命をも変えた。すなわち私のことだ。会社で徹夜してCNNの生中継を観ながら涙が止まらず、生涯を懸《か》けて中国を報じていこうと心に誓《ちか》った。

本当に、当時の北京の若者たちは、鬼のように共産党政権に対して怒っていた。私が勝手に命名するなら「鬼系」だ。

節分の日には鬼に向かって豆を投げるが、鄧小平軍事委主席は「鬼系」の若者たちに、人民元を振り撒《ま》いた。

「その拳で、今後はカネを摑《つか》みなさい。政治の民主化は許さないが、代わりに金持ちになる自由を与えよう」

この方針を中国では、「社会主義市場経済」と呼ぶ。1992年10月に開いた第14回中国共産党大会で、「社会主義市場経済」を党是に定めた。翌年3月には憲法を改正し、第15条にこう明記した。

〈国家は社会主義市場経済を実行する〉

こうして、古代から「食べる」と「稼《かせ》ぐ」という二つのDNAを植えつけられている中華民族は、一斉に「カネ教徒」と化していったのである。

北京ではアメリカ留学帰りの李彦宏《りげんこう》氏がバイドゥ（百度）を興《おこ》し、天安門事件の影響がなかった深圳《しんせん》では馬化騰《ばかとう》氏がテンセント（騰訊）を興した。杭州《こうしゅう》では英語教師だった馬雲《ばうん》氏が、「天下に不可能なビジネスをなくす」（譲天下没有難做的生意）という社是を掲げて、アリババ（阿里巴巴）を始めた。１９９０年代には他にも、星の数ほどの民営企業が、「明日の中国は今日よりさらに素晴らしくなる」（明天的中国比今天更美好）という「中国夢《チャイニーズ・ドリーム》」を求めて羽ばたいていった――。

実は鄧小平氏は、「鬼系」の若者たちと、他にも「約束」を交わしていた。まず彼らが結婚した際に、子供は「一人っ子」であることを強要した。こちらも、おそらく世界唯一だろうが、憲法第25条でこう定めてしまった。

〈国家は一人っ子政策（計画生育）を推し進める〉

その代わり、彼らの唯一無二の「宝貝《バオベイ》」（愛児）たちを、望むなら全員、大学へ入学させてあげようと約束したのだ。もちろん、国の経済発展に大学教育が欠かせないと判断したこともある。ともあれここから中国全土に、雨後の筍《たけのこ》のように大学が新設されていった。

天安門事件の起こった１９８９年、中国の大学の定員総数は約40万人で、大学進学率はわずか９・３１％。進学希望者に対する大学の定員の割合を示す「録取率《ろくしゅりつ》」は15％に過ぎなかった。当時の中国人にとって大学は狭き門であり、一部のエリートだけに許された道だったのだ。

それから一世代、30年余りを経た2021年は、大きく様変わりした。大学進学率は54・7%まで上がり、ほぼ二人に一人の水準まで来た。

録取率も92・89%まで上がった。すなわち、大学進学希望者の9割以上が入学できたということだ。実際、全国3012大学に、1001万人もの若者たちが入学している。

こうして、共産党政権と国民との「約束」は果たされた。だが、共産党政権が国民に「約束」したのは、大学入学までだった——。

いまや、新たな大問題が生じている。それは大学卒業後の「就業」である。

中国の学制は欧米と同じ9月入学で、2022年6月から7月にかけて、1076万人もの若者が大学を卒業した。また、高校を卒業して大学に進学せずに社会へ出た若者も、前年と同数と計算すると355万人に上った。

合わせて1431万人！　これは東京都の全人口よりも多い。

折りしも中国は、「コロナ不況」の真っただ中で、そこにウクライナ危機の影響なども加わった。その結果、7月の若年層（16歳〜24歳）の失業率は19・9%と、過去最高を記録したのだった。

日本では今世紀初め、大学卒業生の就職が困難になり、「超氷河期」という言葉が生まれた。それになぞらえれば、現在の中国は「超超超超氷河期」である。「卒業はすなわち失業」（畢業即失業《ビーイエジーシーイエ》）という言葉が流行語になった。小津安二郎監督の映画『大学は出たけれど』のような世界が展開されているのだ。

　そうなれば、かつて共産党政権に立ち向かって拳を振り上げた「鬼系」を親に持つ「九《ジウ》五後《ウーホウ》」（１９９５年〜１９９９年生まれ）や「〇〇後《リンリンホウ》」（２０００年〜２００９年生まれ）の若者たちは、連日、街頭デモ行進でも起こしそうなものだ。

　ところが、そんな光景は中国のどこにも見当たらない。それは、当局の取り締まりが厳しいということもあるが、「一人っ子」の側の問題でもある。「だって動くとエネルギーを使うでしょう」と言わんばかりに、就職先が見つからない彼らは、おとなしく自宅でスマホをいじっているのだ。

　そんな彼らについた名称が、「仏系」。修行僧には仏典があれば十分なように、「仏系」にはスマホがあれば十分というわけだ。

「仏系」の青年たちは、まさに仏のように心優しい。「躺平《タンピン》」の項で詳述するが、彼らの家で飼われている犬や猫と、完全に同化している。「鬼系」の中国人の自宅を訪問すると、社会環境の変化によって、親子の気質がかくも変わるものかと思う。

　そう言えば、日本でも同世代を「さとり世代」と呼ぶ。「仏系」は将来、どんな悟りを得るだろう？

啃老族《ケンラオズー》

流行語というのは、はやりすたりであって、通常は一、二年もすれば忘れ去られていく。それは日本でも中国でも同じである。

ところが、何年も流行語であり続け、栄《は》えある中国社会科学院語言研究所編纂《へんさん》の『現代漢語詞典』（第6版、2012年）に「格上げ」（収録）された流行語がある。それが「啃老族」だ。

「啃」は「齧《かじ》る」。「老」は「親」を意味する。すなわち「啃老族」は、「親のすねかじり族」。いい年して、いつまでも親のすねばかりかじっている若者を指す。

「啃老族」が中国で話題になりだしたのは、胡《こ》錦濤《きんとう》政権前期の2005年のことだ。都市部にマンションの建設ラッシュが起こり、市民がマイホームを持ち始めた頃である。

1980年代までの中国というのは、民営企業は存在せず、学校を卒業すると、就職先は国家機関か国有企業などの「単位《タンウェイ》」だった。「失業者ゼロ」というのが社会主義国の建て前だったので、すべての若者が「単位」に組み込まれた。そして基本的に結婚すると、「分房《フェンファン》」と言って社宅を与えられた。

ところが21世紀に入って、民営企業が勃興《ぼっこう》し、民営企業への就職が一般化しだした。同時に、「単位」は「分房」を止め、人々はマンションを購入するようになった。そうした社会背景のもとで、それまでの中国には存在しなかった「啃老族」が生まれたのである。

2005年当時、「啃老族」の専門家としてマスコミで引っ張りだこだった夏建華《かけんか》四川理工学院政法学部副教授は、「啃老族」を、以下の6種類に分類した。

〈第1類　全面依頼型〉　一人っ子世代で、両親の愛情を一身に受けて育ったため、成人しても自分で独立していこうという意志に欠ける若者たち。海千山千の人々の社会に飛び込んでいく勇気がなく、相変わらず親に依存している。

〈第2類　部分依頼型〉　百パーセント親に依存したり、就職を拒否しているわけではないが、当面は親の家があるからと、のんびりした生活を送っている若者たち。

〈第3類　冷淡型〉　親に反抗していたりして、閉め切った自室で親とは別世界に生きているが、それでも親のすねをかじって暮らしているタイプ。

〈第4類　消極型〉大学時代に遊びすぎたり、望んでいた仕事に就けなかったりして、ブラブラしている若者たち。

〈第5類　悪意型〉職場をクビになったりして、あくせく働くことに嫌気がさしてしまい、いっそのこと親のすねをかじって生きてやろうと決意しているタイプ。

〈第6類　家事型〉病気になったりして、自宅にいる期間が長くなるうちに、父母の面倒を見たり、家事をして過ごすことに慣れてしまった若者たち。

いずれにしても、2005年当時に議論されていたのは、「このまま『啃老族』を放置しておくと、いずれ中国社会は大変なことになる」ということだった。

だが、よくも悪くも鷹揚《おうよう》だった胡錦濤政権は、特に政府として手段を講じることはなかった。経済は右肩上がりで順風満帆《じゅんぷうまんぱん》に成長していたし、少しくらい「啃老族」がいようが、社会全体としては十分吸収できたのである。余裕があったということだ。

だが、それから15年以上を経た2022年夏、中国政府は大慌てすることになった。

コロナ禍は3年目に突入し、習近平《しゅうきんぺい》主席が極端な「動態清零《ドンタイチンリン》」（ゼロコロナ政策）に固執したため、中国経済は苦境に立たされた。第2四半期（4月～6月）の経済成長率は、0・4％と低迷。3月の全国人民代表大会の政府活動報告で、李《り》克強《こくきょう》首相は「5・5％前後の成長目標」を高らかに宣言したというのに、早くも失速してしまった。

特に、前述のように7月の若年層（16歳〜24歳）の失業率が、過去最高の19・9％を記録した問題は深刻だった。

その間、政府は拱手傍観《きょうしゅぼうかん》していたわけではない。企業と学生とのマッチングをサポートしたり、雇用を増やした企業の税金を優遇するといった措置を取ってきた。大学院に進学する枠《わく》を増やしたり、「一帯一路」沿線国での就業の奨励まで行った。

だがそれらは、しょせんは弥縫策《びほうさく》であり、中国経済が健全に発展していかないと、とても大量の若者は受け入れきれない。

そうした中、2022年に「啃老族」は、若者たちの主流を占めると言っても過言ではない存在になった。2005年に出現し始めた頃は、大人たちから奇異な目で見られていたが、いまや「あなたも啃老」「私も啃老」である。

バイドゥ（百度）の「貼吧《ティエバー》」（ネット掲示板）の中にある「啃老族吧」（啃老族掲示板）には、23・9万件（2022年9月現在）もの書き込みがあって、啃老族たちの間で日々たわいもない意見交換が展開されている。

例えばある日、「新入り」が、「僕は啃老3年目で、いま欲しいのは同じ『啃老女朋友《ニュイポンヨウ》』（啃老彼女）です」と自己紹介した。すると、「『啃老男女《ナンニュイ》』（啃老カップル）は何して過ごすんだ？」「やっぱり『手遊《ショウヨウ》』（スマホゲーム）だろう」などと議論が進んでいく。別のところでは、「こんなに大きなスイカを食べた」という話からスイカ論議になっていた。

このような「啃老族」が40代、50代になったら、中国社会はいったいどうなってしまうのか。親はいなくとも、その遺産さえあればよいということなのか？　ちなみに2022年現在、中国に相続税は存在しないが、おそらく将来は導入されるだろう。

さらに、最近の中国社会には、「啃老族」から派生したような種族が、次々に登場している。以下、彼らに付けられた「名前」を追ってみよう。

〈巨嬰《ジュイイン》〉

巨は「巨人」「巨体」で、「嬰」は「嬰児《えいじ》」、すなわち赤ちゃんだ。

体重5000gで生まれた巨体の赤ちゃんのことではない。成長して少年少女になっても、果ては成人しても、相変わらず赤ん坊のような精神年齢しか持ち合わせていない若者たちを指す。

私は2008年から、週に一度、明治大学で「東アジア国際関係論」を教えており、毎年数十人の中国人留学生に接している。その中で、最近の中国人留学生の傾向の一つが、男女問わず、やや小太りで甘ったるい中国語を話す若者が増えたことだ。

100分の授業後、彼らが質問しに来たと思ったら「先生、コンビニのアイスクリームは何がおいしいですか？」などと聞いてくる。「これが噂の『巨嬰』か」と苦笑してしまう。

〈草苺族《ツァオメイズー》〉

英語にすれば「ストロベリー・ジェネレーション」、日本語なら「イチゴ世代」。すなわち、見た目は煌《きら》びやかで美しいが、中身は水っぽい（弱々しい）若者たちを指す流行語だ。

やはり明治大学で、尖閣諸島問題について講義していた時のこと。オシャレな格好をした中国人留学生の女性が挙手して、「釣魚島《ディアオユイダオ》（尖閣諸島）は中国固有の領土です！」と反論した。そこで私は、「ではなぜ中国の固有の領土なのか、皆に説明して下さい」と促した。そうしたら彼女は言った。「だってCCTV（中国中央電視台）がそう報じているんだもん」

〈尼特族《ニートゥズー》〉

「尼特」は「ニート」（就労・就業意欲のない若者）の音訳である。「尼特族」も、前述の状況下で急増中だ。

私は個人的には、優秀でヒマしている中国の若者には、どんどん日本へ来てほしいと思っている。高齢化率29・1％（2022年9月現在）という世界一の高齢化社会の日本で、特に地方は人手不足で、助けてほしいことが多々あるからだ。

来たれ、啃老族！

躺平《タンピン》

中国語読みは「タンピン」。日本語の音読みにあえて直すと、「とうへい」となる。

だが「躺」が常用漢字にないので、意味が分からない方も多いだろう。中国の新華字典では、「身体を地上あるいはその他の物体の上に倒す」と説いている。

ちなみに旁《つくり》の「尚」の字源は、「向」が窓。その上の二つの点は、光と空気の出入りを意味する。よって「躺」は、陽当たりや通風のよい部屋に身を置いて、心地よい状態を示す。

2021年夏、日本のテレビ局は、「躺平」という中国の流行語に、見事な和訳を命名した。

「寝そべり族」

何という名訳だろう。私はワイドショーで「躺平」を解説しながら、この訳を考え出し

た日本人に、密かに敬意を覚えた。仕事にも就かず、自宅でゴロゴロ寝そべってスマホをいじっている中国の若者たちのことを指す。

話は脱線するが、かつては私の命名で、和訳が定着した中国の流行語もあった。

２００９年11月11日のこと。当時私は、北京で日系企業に勤めていたが、昼休みに若手の中国人社員たちのデスクが騒々しい。行ってみると、アリババがその日だけ、ネット通販の大安売りを始めたのだそうで、彼らは必死にパソコンと睨《にら》めっこしていた。

「今日は『１』が４つ並ぶ日でしょう。そこで『光棍節《グアングンジエ》』ということで、アリババが僕ら独身の若者向けに、本日限定の格安セールをやっているんです」

彼らはネットで次々に、服などを買い込んでいた。アリババはこの日だけで、計27商品を安売りし、５２００万元（約10億４０００万円、以下１元＝20円換算）を売り上げた。

これは面白い！　ちょうどその時、中国のインターネット人口が１億人を突破したということが北京で話題になっていたので、そのことも絡めて、記事にして日本に送った。

その際、「光棍節」を何と訳すか迷った。直訳すれば「１本の棍棒（独身者）が光り輝く日」。私は結局、「お一人様の日」と名付けた。そうしたら日本のメディアが一斉にマネをして、「お一人様の日」が定着してしまった。

ただ、当のアリババは、２０１２年のセールから、「お一人様以外にも広く買っていただくため、今年から『光棍節』の呼称を止め、『双十一《シュアンシーイー》』（ダブルイレブン）と呼びます」と宣言している。それなのに、変更して10年経ったいまでも「お一人様の日」「独身の日」と呼び続ける日本のメディアは困ったものだ。

すっかり話がそれてしまった。「寝そべり族」（躺平）の話に戻る。

2021年初め頃から、この言葉が中国のネットやSNS上で散見されるようになった。当時、私はこの言葉を目にするたびに、「ゲゲゲの鬼太郎」を思い起こしたものだ。

ゲゲゲの鬼太郎は、著者である漫画家・水木しげる（1922年〜2015年）の分身である。私の両親の故郷である九州地方の方言で「食っちゃ寝、食ちゃ寝」（食べては寝るの繰り返しの生活）という言葉があるが、若い頃の水木しげるは、故郷の鳥取県境港《さかいみなと》で、まさに「寝そべり族」だった。後年、そんなぐうたらな自分の姿を反映させた少年として、ゲゲゲの鬼太郎のキャラクターを考案したのだ。

『ゲゲゲの鬼太郎』（当初は『墓場の鬼太郎』）が『週刊少年マガジン』に連載されたのは、1965年からだ。このマンガがあれほど大ヒットしたのは、妖怪のキャラクターが物珍しかったこともあるが、高度経済成長の競争至上主義の中で、当時の日本の少年たちが「寝そべり族」に憧《あこが》れたことも大きかったろう。

「躺平」の中国人もまた、同様である。彼らはいわば「中国版ゲゲゲの鬼太郎」なのだ。

かつて日本で起こった現象が、時間差で中国でも起こるというのは、よくあることである。中国は、日本よりも数十年遅れて「豊かな社会」に向かっていったからだ。

中国社会を理解するうえで、重要な要素の一つが、中国人を世代別に分けて考えることだ。中国は、１９４９年に建国して以降、日本以上に社会がダイナミックに変化してきたため、世代間の「差異」が日本の比でない。日中を簡単に比較すると、以下の通りだ。

まず日本の「60年安保世代」にあたるのが、「飢餓《きが》世代」。１９５８年に毛沢東《もうたくとう》主席が主導して始めた「大躍進」（集団農場の人民公社や鉄鋼増産などを無理に進めた）の失敗で、翌年から3年間で約４０００万人もの人が餓死する事態に陥《おちい》った。日本の若者が政府に拳《こぶし》を振り上げている間、中国の若者は飢えと戦っていたのだ。

日本では「団塊の世代」が続くが、中国では「文革世代」が続く。文化大革命で、後述する「紅衛兵」となって、毛沢東主席を熱狂的に信奉した人々だ。

私のような日本の「バブル世代」にあたるのが、「天安門世代」。「仏系」の項で述べたように、１９８９年の大規模な民主化運動「天安門事件」で挫折した世代だ。

続く「団塊ジュニア世代」に当たるのが、「改革開放世代」。物心がついた時から鄧小平氏が主導した「改革開放政策」の恩恵を享受してきた恵まれた年代だ。

そして、日本では不況下に生まれ育った「草食系」「さとり世代」と呼ばれる世代が続くが、中国は「一人っ子世代」となる。1980年代以降に生まれ育った中国人だ。

彼らは、6人の大人（父母と互いの祖父母）に育てられた「小皇帝《シアオホアンディ》」と「小公主《シアオゴンジュ》」（公主は皇帝の娘）だ。新中国建国後、初めての贅沢《ぜいたく》でワガママな世代の出現である。

ただ同じ「一人っ子世代」でも、前期の「八〇後《バーリンホウ》」（1980年代生まれ）「九〇後《ジウリンホウ》」（1990年代生まれ）と、後期の「〇〇後《リンリンホウ》」（2000年代生まれ）、「一〇後《イーリンホウ》」（2010年代生まれ）は、また違う。

明確な線引きはできないが、生まれが遅くなるほど「躺平」は増えていく傾向にある。それは主に、二つの理由による。まず第一に、贅沢な環境だ。

一般の中国人がマイホームとマイカーを持つようになったのは、21世紀に入ってからだ。それまでほとんどの中国人は、決して心地よいとは言えない「単位《タンウェイ》」（職場）の社宅に住んでいた。そのため、前期の「一人っ子世代」の多くは、「貧困時代」の記憶がある。

ところが後期の「一人っ子世代」は、物心ついた時から、新築マンションに住んでいたり、マイカーで学校に送り迎えしてもらったりしている。しかも一人っ子だから、親の愛情と資金をふんだんに享《う》けて育っている。そのため根がガツガツしていないのだ。

第二の理由は、就業競争の激化である。2012年から翌年にかけて、胡錦濤時代から習近平時代に移行したが、景気の観点から見れば、バブル時代から不況時代に変わった。

不景気なのに、大学の卒業生は、毎年約40万人ずつ増加している。やはり「仏系」の項で述べたが、2022年7月の卒業生は、1076万人。同月の若年層（16歳～24歳）の失業率は、コロナ禍やウクライナ危機などの影響もあって、過去最高の19・9％に達した。要は必死に就職活動をしても、ロクな就職先は見つからないのである。

それでは、若者の側からすると、就職しないと生活に困るのか？　まったく困らないのである。居心地のよい自宅や車があり、おまけに親の財産もある。激烈な競争社会へ突っ込んでいくよりも、「躺平」していた方が楽だし、幸せなのである。

実際、中国のデパートへ行くと、「躺平」用のソファが大量に並んでいる。スマホはもとより、コンビニの菓子類から中国人の大好きな耳かきまで、「躺平の友」には事欠かない。

私の中国人の友人知人の子息にも、「躺平」は少なくない。彼らの特徴は、おとなしくて気が優しいことだ。隣で寝そべっているペットの犬や猫と、完全に同化している。

昨今、日本では「中国脅威論」が盛んだが、「躺平」は決して「攻撃的人種」ではない。人民解放軍に入隊して尖閣諸島を奪ってやろうなどとは思っておらず、むしろ大多数が日本のアニメや菓子類などを愛する親日派だ。

その意味では、「躺平」の急増は、中国では社会問題化していても、日本としては眉《まゆ》をひそめることもないのかもしれない。

yyds

yyds、xswl、nsdd、srds、whks、bdjw、yygq、yysy、ssfd、bhys、zqsg、djll、zgrb、pycy、gbch……。

アルファベットが仲良く4文字ずつ並んで、何やら暗号のよう。そう、暗号なのだ。中国の若者たち以外の人にとっては。

中国でスマホが普及しだしたのは、習近平政権が発足した2013年頃からである。当時、物心がついたくらいの子供は、約10年経ったいまは高校生になっている。「〇〇《リンリン》後《ホウ》」（2000年代生まれ）の彼らこそは、「スマホ・ネイティブ」の第一世代と言える。

そんな彼らにとっては、漢字という文字が、かったるくて仕方ない。ご先祖様は、なんて複雑な形をした文字を発明してくれたんだろうと、毒づいているに違いない。

日本人からすれば、現在の中国人は偉大な漢字文化を簡体字に変えて、ありゃ何だと思える時がある。例えば、門があるから「開ける」のであって、「开」（「開」の簡体字）とは何？ところが、中国の「スマホ・ネイティブ世代」にとっては、簡体字さえもかったるいのである。何せ中国語では、どんな外来語でも、いちいち漢字に直さないといけない。

「Starbucks」は、日本語なら「スターバックス」と、英語をそのままカタカナで表記すればよいが、中国語は「星巴克《シンバークー》」と漢字に置き換える。現在のアメリカ大統領の名前は、「Biden」「バイデン」「拜登《バイデン》」。中国でファッション雑誌や車のカタログ、電気製品のマニュアルなどを見ると、日本という同じ漢字文化圏に育った私でさえ、見慣れない漢字の羅列にお手上げとなってしまう。

ところが、さすがは「スマホ・ネイティブ世代」である。日々の微信《ウェイシン》（WeChat）での会話に、打ちやすい英文字を使い始めたのである。しかも、漢字のピンイン（拼音＝アルファベット表記の発音記号）の最初の一文字だけを用いて、省略していくのだ。

その代表的な15単語が、冒頭に並べた4文字ずつの英文字というわけだ。以下、個々に見ていこう。

① yyds＝yong yuan de shen（永遠的神《ヨンユエンダシェン》）

「永遠的神」とは「永遠の神」。だが神様とは無関係で、「素晴らしい！」「神ってる」と褒《ほ》めたたえる時に使う語である。

2022年冬の北京オリンピック・パラリンピックで、中国人選手はそれぞれ、9個と18個の金メダルを獲得した。連日、中国人選手が勝利するたびに、微信上では「yyds」の4文字が乱れ飛んだ。

②xswl＝xiao si wo le（笑死我了《シアオスーウォーラ》）

直訳すると、「私は笑い死にさせられた」。つまり、「爆笑！」「超笑える」と言いたい時に、「xswl」と打つ。

③nsdd＝ni shuo de dui（你説得対《ニーシュオダドゥイ》）

「あなたの言うことが正しい」の意。中国の若者たちと微信を交わしていると、彼らはよく「nsdd」と打ってくる。だが、私はこの4文字を返されるたびに、自分が「説教オヤジ」に思われているようで、複雑な気分である。

④srds＝sui ran dan shi（虽然但是《スイランダンシー》）

「虽然A、但是B」というのは、中国語を習った方ならお分かりだろうが、「Aではあるけれども、Bである」という構文である。「虽然我很忙《スイランウォーヘンマン》、但是想見你《ダンシーシアンジエンニー》」（忙しいけど会いたい）。

それを中国の若者は、「srds想見你」と、大胆に構文の前半を省略して書くのである。

⑤whks＝wu hua ke shuo（無話可説《ウーホアクーシュオ》）

こちらは、「もう言うことはない」という、やや投げやりな捨て台詞である。「無話可説」という4文字さえ打つ気がしなくて、「whks」と略字で打ってしまう気持ちも、理解できなくはないが……。

⑥bdjw=bu dong jiu wen（不懂就問《ブードンジウウェン》）

「分からなかったら、すぐ聞いてね」の意。何かの説明を書いた後に、「bdjw」と付け加えることが多い。

⑦yygq=yin yang guai qi（陰陽怪気《インヤングアイチー》）

中国語の四字熟語だが、一番しっくり来る日本語は、「訳《わけ》が分からない」。「他説得真《ターシュオダジェン》yygq」（彼の言っていることは、まったく訳が分からない）のように使う。

⑧yysy=you yi shuo yi（有一説一《ヨウイーシュオイー》）

「Ｕ１Ｓ１」とも書く。日本語でピッタリ来る訳語は、「正直言って」「ぶっちゃけ」など。『２０２１ 有一説一』というネットのトーク番組も放映されて人気を集めた。

⑨ssfd=se se fa dou（瑟瑟発抖《スースーファードウ》）

難しい4文字だが、これも中国語の四字熟語で、「ぶるぶる震える」という意味だ。いまの若者は、漫画の主人公のように感情を大仰に表に出すことが多いので、日本語の俗語「ガクブル」（ガクガクブルブル）を「ssfd」と打ち込む。

⑩bhys＝bu hao yi si（不好意思《ブーハオイース》）

これも日常会話でよく使う語で、日本語の「すみません」にあたる。「すみません」を「sms」と打ってしまうような感覚だ。

⑪zqsg＝zhen qing shi gan（真情実感《ジェンチンシーガン》）

こちらも四字熟語で「本当の気持ち、実感」という意味。だが、微信などで使われる時には、日本語の「マジだよ」に近い。

⑫djll＝ding ji liu liang（頂級 流量《ディンジーリウリアン》）

「頂級」は「トップクラスの」という意味の形容詞。「流量」は、元は水や電気などが流れ出る量だが、スターの話題がネットなどで流れ出る量を指す。略して「頂流」で、「超話題（のスター）」の意。「頂流明星《ディンリウミンシン》」と言えば、「トップスター」のことだ。

⑬zgrb＝zuo ge ren ba（做個人吧《ズオグーレンバ》）

一番ピッタリ来る訳語は、「しっかりしなよ」。私がこの言葉で、鮮明に記憶している記事がある。２０２１年9月に中国全土で公開された国策映画『長津湖《ちょうしんこ》』に関するものだ。

邦題は『１９５０ 鋼《はがね》の第7中隊』。朝鮮戦争（１９５０年～'53年）で、中国人民義勇軍が「抗美援朝《カンメイユエンチャオ》」（アメリカに対抗して北朝鮮を助ける）を掲げて勇敢に戦う様子を描いた愛国の物語で、中国映画の興行記録を塗り替える大ヒットとなった。ところが、著名なジャーナリストの羅昌平《らしょうへい》氏が、「こんなこと本当にあったのか？」と疑問を投げかけたのだ。

結局、羅氏は逮捕され、2022年5月に7ヵ月の実刑判決を受けて、全面謝罪に追い込まれた。この時、中国を代表するネットメディアの一角『網易新聞《ワンイーシンウェン》』の記事のタイトルが、「羅昌平、做個人吧！」だった。羅氏はしっかりしていたからこそ、そう発言したようにも思えたのだが……。

⑭pycy＝peng yi cai yi（捧一踩一《ポンイーツァイイー》）

直訳すると、「一方を捧げて、もう一方を踏みつける」。ネット上でよく使われるのは、あるスターのヘアスタイルを褒めたついでに、別のスターの髪型をけなすことなどだ。

⑮gbch＝ge bi chao hua（隔壁超話《グービーチャオホア》）

「隔壁」は「壁を隔てた」「隣の」で、「超話」は「非常に気になる話」。つまり「壁越しでも聞きたくなる興味津々の話」という意味だ。


以上、15単語について解説したが、他にもたくさんある。「スマホ・ネイティブ世代」によって、中国語に「革命」が起こっていることが、お分かりいただけただろう。

彼らはそのうち、自己紹介する際に、「wszgr」と言うようになるかもしれない。「我是《ウォーシー》中国人《チョングオレン》」（私は中国人です）の略語である。

45度人生《スーシウードゥレンシェン》

かつて儒教の始祖・孔子《こうし》（紀元前５５１年〜紀元前４７９年）は説いた。

「中庸《ちゅうよう》の徳たるや、それ至《いた》れるかな」（中庸之為徳也、其至矣乎）

『論語・雍也《ようや》』の一節だが、この「中庸」という言葉は、古代の中国人の心にズシリと響いたようだ。そのため、礼に関する記述をまとめた『礼記《らいき》』の第31篇に、「中庸」の項が入った。一説には、孔子の孫の子思《しし》（紀元前４８３年頃〜紀元前４０２年頃）が、その作業を行ったという。

さらに、儒教文化が花開いた宋代《そう》（９６０年〜１２７９年）になると、「中庸」は『礼記』からも独立した。江戸時代の日本に多大な影響を与えた朱子学の祖・朱熹《しゅき》（１１３０年〜１２００年）は、それまでの『論語』『孟子』に『大学』と『中庸』を合わせて「四書」としたの

だ。「中庸」は、「科挙《かきょ》」（当時の国家公務員試験）の試験科目にもなった。

明治時代の日本でも、1887年（明治20年）に創刊された総合月刊誌に、紆余曲折を経て『中央公論』の名前がついた。これも「中庸」を意識した誌名ではなかろうか。

『広辞苑』では、「中庸」をこう説明している。

「かたよらず常にかわらないこと。不偏不倚《ふへんふき》で過不及《かふきゅう》のないこと。中正の道」

このように日中問わず、古代から現代に至るまで、「中庸の道」は、あまねく尊《とうと》ばれてきたのである。

それで、再び現代中国の若者論である。彼らの置かれた状態を表す流行語に、「躺平《タンピン》」があることは、前項で解説した通りだ。

高校や大学を出ても就職できず、もしくは就職する気がなく、居心地のいい自宅でゴロゴロと、スマホ片手に寝そべって生活している若者たちを指す。日本では「寝そべり族」という名訳が定着している。

実は、「躺平」には対義語が存在する。それは、「内巻《ネイジュエン》」。この言葉も中国では、「躺平」と同等程度に昨今、頻繁に俎上《そじょう》にのぼる流行語だ。

「内巻」という言葉を聞いて、日本人の私が思い浮かべるのは、淡路島と四国の間に横たわる鳴門《なると》海峡で巻き起こる渦潮《うずしお》である。あの渦潮のような激烈な中国社会の波に揉《も》まれている若者たちの状態を指す語が、「内巻」だ。

日本では、残念ながらまだ名訳が生まれていない。中国語では、「努力のインフレ」(努《ヌー》力的通貨膨張《リーダトンフオペンジャン》)と言い換えている記述を見た。これには思わず、「座布団一枚あげてくれ」と言いたくなった。

前の項でも述べたが、昨今の中国の就職戦線は「超超超超買い手市場(氷河期)」である。そうなると、どの職場にも、ものすごい「渦潮」ができる。つまり、些細《ささい》なミスを犯しただけで、「明日から来なくてよい!」と上司に言われかねない。もしくは周囲に、そう言われた同僚を見ている。日本の「温室的会社社会」と異なり、中国の職場ではパワハラが問題視されることなど、ほとんどない。

そのため若者たちは、日々懸命に努力しても、まるでインフレのようにさらなる努力を要求される。結果、職場の緊張感とストレスたるや、半端ないのである。そのような状態が「内巻」だ。

私は、「あくせく族」と訳してみた。

常にあくせく働くことを迫られている若者たち——「躺平」の「寝そべり族」ほど名訳でないことは承知しているが、何となく雰囲気は理解してもらえるのではなかろうか。

ともあれ、「躺平」と「内巻」は、対極をなす状態である。言うなら「躺平」は「水平」

で、「内巻」は「直立」である。直立というのは、業績アップや出世といった「上」を目指してあくせくしているイメージだ。

こうした中、2022年春から夏にかけて、中国の若者たちの間で、新たな「動き」が起こった。「私たちは『躺平』でもなく、『内巻』でもない『中庸の道』に行かされている」――そんな声が、ネットやSNS上で囁《ささや》かれ始めたのだ。

そこから、「45度人生」という新たな流行語が生まれた。傾きが、「0度」でも「90度」でもなく、中庸の「45度」というわけだ。

「45度人生」は、「上不去《シャンブチュイ》、下不来《シアブライ》、巻不動《ジュエンブドン》、躺不平《タンブピン》」という漢字12文字で説明される。

「上がろうにも進めず、下ろうにも落ちて来ない。あくせくしても動かず、寝そべっても平たくなれない」

「中庸の道」と言えば聞こえはいいが、誠に居心地の悪い中途半端な状態なのである。望んでその道を歩んでいるのではなくて、あくまで受動的にそうした状態に置かれているというところがポイントだ。

「45度人生」という流行語には、若者たちの悲哀がこもっている。「自分たちの人生って、結局こんなものかよ」という、半ば投げやりな気持ちが含まれているのだ。

つまり、自分はまともに就職したいのだが、なかなか就職先が見つからない。見つかっても、前述のようにひどく理不尽な扱いを受け、疲弊して辞めてしまう。それで自宅で過ごしているが、この状態は決して本意ではない……。

私の中国人の友人で、大手中国ＩＴ企業の幹部がいる。夫人も大手国有商業銀行の幹部だ。彼らには一人息子がいて、数年前に大学を卒業したのだが、友人と微信で通話するたびに、息子のことをグチる。

「また愚息が会社を辞めてしまった。家でぐうたら『躺平』をやっているんだ」

彼の息子は大学卒業後、父親のコネを使って、将来が有望視される新興のＩＴ企業に就職した。だが半年も経たずに、心身共に疲弊して退職してしまう。

しばらく「躺平」した後、大学時代の先輩が立ち上げたスタートアップ企業を手伝うが、ほどなく先輩の方針について行けず退職。再び「躺平」を経て、大手学習塾チェーンに就職した。だが、２０２１年7月に習近平政権が打ち出した「学習塾禁止令」によって、会社が倒産してしまった。

三たび「躺平」を経て、地元の不動産会社に就職。ところが２０２１年12月には、中国不動産業界ナンバー２の恒大《こうだい》グループが、部分的な債務不履行に追い込まれるなど、未曽有の不動産不況が襲った。

それで息子の給料も減り続け、四たび退職。そして四たびの「躺平」の後、近くのコンビニでバイトを始めるが、また長続きせずに辞めてしまった……。

私は友人に、「息子にどんなアドバイスをしているのか？」と聞いてみた。すると、こう答えた。

「私の座右の銘は、『滴水穿石《ディシュイチュアンシー》』（雨垂れ石を穿《うが》つ＝水滴がいつかは石に穴を開けるように、小さな努力の積み重ねが、やがては大業を成し遂げる）だ。また、私が誰より尊敬する鄧小平同志は、三度も失脚したが、不屈の精神で三度とも復活を果たした。

こうした話を、愚息に説いて聞かせるのだが、まるで馬耳《ばじ》東風《とうふう》。『それが何？　僕の人生と関係ない』と反抗してくる」

私は友人と同世代なので、「滴水穿石」や鄧小平氏の逸話は理解できる。一方、いまの中国社会の大変な状況下で、息子の立場も理解できる。そのため、思わず言葉に詰まってしまう。

先日、この友人と再び話した。今度は、思わぬ不吉な言葉を口にした。

「愚息は相変わらずだが、折からのＩＴ不況の波を受けて、私が勤める会社も業績がガタ落ちだ。私も次の董事会（取締役会）でクビになりそうだ。銀行もリストラの嵐で、家内も退職寸前だ。

まもなくわが家は、一家３人で『45度人生』となるかもしれない……」

白蓮花《バイリエンホア》

「白蓮花」、もしくは同義語の「緑茶婊《リュイチャービアオ》」。いずれも現代中国の若い女性を指すネットやＳＮＳの流行語である。

直訳すると、「白い蓮の花」「緑茶不良娘」。はて？

この言葉について説明する前に、「そもそも論」を少々述べよう。

「そもそも中国人女性は、日本人女性とどう違うの？」

中国ウォッチャーを30年以上続けている私が、よくぶつけられる質問だ。「中国の人口は14億人だから、単純に2で割ると女性は7億人。そんなに多くの人のことを知るわけないでしょう」——これがホンネなのだが、「中国ウォッチャー」を名乗っている手前、そうは答えられない。そこで、ささやかな中国の友人知人の話をしたりする……。

いまから30年も前の１９９０年代前半、東京に「中国人妻の会」という団体があった。

当時ポツポツと、日本に留学に来た中国人女性や、北京や上海などでの駐在員時代に知り合った中国人女性と結婚する日本人男性が現れ始めていた。

ところがビザの問題に始まり、言葉や食事、生活習慣など、中国人女性を娶《めと》った日本人男性の悩みは尽きない。その頃はインターネットもなかったので、同じ悩みを持つ日本人男性同士が、半年に一度くらい居酒屋に集まって、情報交換しようということになったのだ。

私は当時、独身だったが、「彼女が中国人」ということで、一応の有資格者とみなされた。30人くらいメンバーがいて、その半数くらいの妻が上海人。しかも妻が相当年下という男性も少なくなかった。

参加してみるとこの会、「悩みを分かち合う」どころか、「中国人妻おのろけの会」だった。「ウチの嫁さんはベッピンの上に器量もよくて、オマケに夜の方も……」などと、男たちはラブラブの2ショット写真を片手に、自慢し合っていた。何だかシラけてしまって、私は次回から欠席を続けた。

それから15年ほどして、たまたま北京行きの飛行機で、その会の幹事だった男性と隣席になった。私が昔の非礼を詫《わ》びると、彼は頭を掻《か》きながら弁解した。

「いや、あの会はもうとっくにないんです。実は会員の8割くらいが離婚してしまって……。

かくいう私も、いまはバツイチの身。やはり妻を娶るなら、大和撫子《やまとなでしこ》に限りますよ」

北京までの4時間ほどの機中で、彼はメンバー一人ひとりの「修羅場《しゅらば》話」を明かしてくれた。要約すると、ほとんどのケースで、日本人男性は中国人女性に捨てられていた。

その15年で、中国は奇跡の経済成長の道を邁進《まいしん》し、日本は「失われた20年」で迷走していた。中国人女性たちは、「チャンスは祖国にあり」と考え、夫や、時に子供も捨てて帰国していったというのだ。

「要は、カネの切れ目が縁の切れ目というわけです。中国人女性は愛嬌があるけど、その愛嬌を信じるなと言いたいね」

彼は機中でビールを何缶も空けて、赤ら顔になりながら独り肯《うなず》くのだった。

その後、私は北京駐在員になり、3年間で1000人を超える中国人女性と名刺交換をした。中国は日本とは比較にならない男女同権社会なので、「出産前後の数ヵ月」を除けば、男女は等しく社会で活躍している。そのため、女性の知り合いも相当数に上るのだ。

その中で、特にある分野で突出した才能を開花させている女性たちに徹底的に話を聞き、『「北京女性」24人の肖像』（メディアタブレット刊、2015年）として電子書籍にした。

その内訳は、以下の通りだ（年齢は当時）。

①「中国の女ピカソ」と称される彫塑芸術家（43歳）②双子の美人漫画家（22歳）③太極拳

世界チャンピオン（34歳）④北京のカリスマ美容師（26歳）⑤売れっ子ファッション・デザイナー（33歳）⑥真冬生まれのピアニスト（27歳）⑦毛沢東かぶれの実業家（48歳）⑧テレビ司会者・プロダクション社長（42歳）⑨スーパー家政婦（40歳）⑩父親譲りの敏腕弁護士（35歳）⑪真珠で当てた雑貨店経営者（26歳）⑫大型カラオケ店ナンバー1ホステス（23歳）⑬秘書4人を使うマンガ雑誌社社長（45歳）⑭モンゴル族スーパーモデル（23歳）⑮月収75万円のマッサージ師（23歳）⑯仏系高級ホテルマネージャー（26歳）⑰人気ワインバー経営者（26歳）⑱過去も未来もない高級コールガール（?歳）⑲北京五輪で大活躍したスポーツカメラマン（30歳）⑳天安門事件の元活動家の著名翻訳家（47歳）㉑パンダにはまった美人絵本作家（25歳）㉒東日本大震災を取材した国際ジャーナリスト（32歳）㉓日本のコスプレに身を固めたロリータ娘（21歳）㉔日本育ちの警備会社取締役（29歳）

経営者から芸術家、売春婦まで網羅《もうら》した。各界の第一線で活躍する中国人女性に興味がある方には一読していただきたいが、とにかくパワフルの一語に尽きる。

一度、中国で通訳を担当した直木賞作家の渡辺淳一氏が、生前しみじみ語っておられた。

「北京でも上海でも、中国人記者たちが私の話を聞きたいと言って、断っても断ってもホテルの部屋の前で、深夜だろうが早朝だろうが張り込んでいる。しかもその記者たちは、ほぼ全員女性なのだ。

中国人女性は、何とたくましいのだろう。今度生まれ変わったら、ぜひ中国人女性と恋愛してみたいものだ」

そんな中国人女性の最新型が、「白蓮花」もしくは「緑茶婊」なのである。「九〇後《ジウリンホウ》」（1990年代生まれ）や「〇〇後《リンリンホウ》」（2000年代生まれ）の女性たちだ。

彼女たちの母親は、私が数多《あまた》接してきたパワフルな世代である。鉄道も走っていないような僻地《へきち》から出てきたり、貧困から這《は》い上がってきた女性も少なくなかった。

ところがいまの若い女性は、ほぼ全員が一人っ子である。おまけに、両親プラス両親の両親という「6人の親」に傅《かしず》かれて育った「小公主」（皇帝の娘）たちだ。

つまり、母親のパワフルなDNAに、「贅沢三昧《ぜいたくざんまい》育ち」という新味が加わっている。言い換えれば、その分「愛嬌の面《つら》の皮」が厚くなっているのだ。

コロナ禍で、ここのところ訪中できないので、「白蓮花」「緑茶婊」のイメージは分かっていても、実感が湧かなかった。ところが先日、図らずも東京で対面することになった。

上海の友人から突然連絡が来て、「まもなく二十歳《はたち》になる娘が東京の日本語学校に通うことになったのでよろしく頼む」と言う。「食事くらいいつでもご馳走するよ」と返事したら、数日後にそのお嬢さんからメッセージが届き、彼女の日本語学校近くのホテルのカフェで、夕刻に待ち合わせた。

上海の高校を卒業してそのまま東京へ出てきたそうで、笑顔が愛くるしい。上海にいるごっついオヤジとは似ても似つかず、「目の中に入れても痛くない娘」とはこういう女の子を言うのだろうと思った。

「それで夕食は何をご馳走しようか」実は私は、そのホテル近くにある行きつけの庶民的な定食屋を考えていた。

だが、彼女は自分のスマホを見せながら言った。「今日はこのお店に行きたい！」

何とその地域の最高級和牛しゃぶしゃぶ店で、一人当たりの予算額は「1・5万円～2万円」となっている。私はしばし、スマホの画面と愛くるしい顔を見比べながら、負けてしまった。「ではそこへ行こう……」

彼女の食べること、食べること。何と肉を4人前、お代わりして食べた。しかもその間、スマホばかりいじっていて、私との会話はほとんどない。そして別れ際にこう告げた。

「来月は私の誕生日なの。誕生日にまたこの店に来たいわ。友達も呼んでいい？」

彼女こそ、絵に描いたような「白蓮花」「緑茶婊」だった。

思えば現在の中国では、結婚適齢期の女性は男性より約3000万人も少ない。つまり、かつてない女性上位社会が到来している。新種の「蓮」や「緑茶」を相手にしなければならない中国男児たちのため息が聞こえてきそうだ。

猪拱白菜《ジューゴンバイツァイ》

2019年6月5日、漫才コンビ「南海キャンディーズ」の山里亮太（当時42歳）と、人気女優の蒼井優（当時33歳）が、都内のホテルで結婚の記者会見を行った。集まった報道陣は300人以上で、カメラは50台以上。日本中がテレビ中継に釘付けになった。

「ガチガチに緊張してます」——こう第一声を放った山里は、続いて述べた。

「二人が、なぜ、このようにお付き合いをして結婚に至ったのか。世の中の人は本当に不思議だと思います。今日も朝からテレビで、街中で『なんであんなヤツが蒼井優と結婚できるんだ』というコメントばかりを集めていました。本当にその通りだと思いました」

会場を埋め尽くした報道陣は爆笑である。実際、メディアは「美女と野獣のカップル」と書き立てた。

だが、当の蒼井優は山里のことを、あっけらかんと語った。

「一緒にいて、しんどいくらい笑わせてくれたり、人に対しての感動することと許せないことのラインが一緒だったり。金銭感覚が似ていることと、あと、冷蔵庫をちゃんとすぐ閉めるとか（笑）」

私はテレビで会見を1時間ほど観ていたが、どちらかというと蒼井優の方が、「幸せオーラ」全開だった。ネクタイとメガネとポケットチーフを赤色で合わせた隣の山里を、時折うっとり潤《うる》んだ眼で見つめる姿が印象的だった。

海の向こうの中国でも、蒼井優は大人気である。ただし「あおいゆう」ではなく、「ツアンジンヨウ」と漢字を中国語読みしている。

人名の発音というのは鬼門《きもん》で、日中が同じ漢字文化圏だけにややこしい。例えば「きしだふみお」（岸田文雄）「しゅうきんぺい」（習近平）と言っても、中国ではまるで通じない。それぞれ「アンティエンウェンシオン」「シージンピン」と発音しないといけないのだ。

しかも「〈／〉」「〈〉」という抑揚（四声）まで付く。

この「世紀の結婚」は、中国を代表するネットニュースサイト「捜狐《ソウフー》」でも、その日のトップニュースになった。見出しは次の通りだ。

「日本女星蒼井優宣布結婚！　為什麼有種〝好白菜被猪拱了〟的感覚？」

うーん、なかなかうまいタイトルを付けるものだと、唸《うな》ってしまった。

上から見ていこう。「女星《ニュイシン》」は「女性明星《ニュイシンミンシン》」の略で、「女性スター」。そのため前半部分は、「日本の女性スター蒼井優が結婚を宣布（発表）した！」となる。

後半部分の「為什麼《ウェイシェンマ》」は「なぜ」。「有種《ヨウジョン》」は「有《あ》る種の」。一番下の「〜的感覚《ダガンジュエ》」は、「〜のような感覚」という意味だ。

問題は、「〝〟」で囲われた「好白菜 被猪拱了《ハオバイツァイベイジューゴンラ》」である。「好白菜」は「好《よ》い（きれいな）白菜」。「猪」は「豚《ぶた》」。「A被BC了」という構文は、「AがBにCされた」という意味なので、「きれいな白菜が豚に『拱』された」。

「拱」という漢字が、一番訳しにくい。日本語の訓読みでは「拱《こまね》く」だが、現代中国語では「手を拱く」という意味では使われない。

よく中国の時代劇で、目下の者が目上の者に敬意を表す時、胸の前で両手を合わせて、軽く頭を下げる。あの手の動作が「拱」である。

私はかつて東京で、ある財界のタニマチの知り合いがいた。その方に呼ばれて会食の席に行くと、いつも関取を同席させていた。会食が終わる時、そのタニマチは関取に封筒を手渡し、「これでうまい物でも食いなさい」と言う。すると関取は「拱」の動作をして、「ごっつぁんです」と頭を下げる。

「拱」には「豚が鼻先で土をほじくる」という意味もあるのだが、「きれいな白菜が豚にごっつぁんされた」と訳すのが、一番ピッタリくる気がする。

もう想像がつくと思うが、「白菜」は美女のたとえで、「猪」は醜男《ぶおとこ》のたとえだ。日本では白菜は、庶民的な野菜のイメージだが、中国人は色形から、色白の美女を想起するのである。「猪拱白菜」（豚が白菜をごっつぁんする）という言葉が、最近の流行語だ。

いずれにしても、あまり品のよい言葉ではない。だが中国語には類語で「鮮花が牛糞《ぎゅうふん》の上に挿《さ》される」（鮮花挿在牛糞上《シエンホアチャーザイニウフェンシャン》）という、さらに品のよろしくない言い回しもある。日本語でも「掃《は》き溜《だ》めに鶴」と言うので、あまり隣国のことを言えたものではないが。

ともあれ、蒼井優の結婚は、中国人にとっても「猪拱白菜」の光景だったのだ。

しかし、私の経験から言えば、「猪拱白菜」は、日本よりもむしろ中国社会に多い気がする。ごく身近に起こって、愕然《がくぜん》としたことも二度あった。

北京駐在員時代に私が勤めていた会社は、ボス（副総経理）である私以外の社員は全員、中国人だった。当時は好景気に沸いていたため、私は計１５０人くらい面接して、当時20代の「八〇後《バーリンホウ》」（１９８０年代生まれ）の優秀な若者たちを、次々に採用していった。

その中で、最も優秀だった社員が二人いた。どちらも女性で、仮にAさん、Bさんとしておこう。二人とも、私が日本へ帰国してまもなく退職したと聞く。

Aさんは北京出身で、両親は中国共産党の幹部。父親は、私でも知っている重要な国家プロジェクトの責任者の一人だった。東京に留学し、名門国立大学の大学院をトップで修了して帰国。アニメに関係した仕事に就きたくて、わが社に入ってきた。

一方、Bさんは東北地方の出身で、中国の名門大学の日本語学部をトップで卒業した後、東京で最も著名な私立大学の大学院に留学し、ミスキャンパスに選ばれた。帰国後、ごく少数のエリートにしか与えられない北京戸籍を取得し、やはり文化産業に関心があって入社してきた。

私は日々、この二人と同じオフィスで働きながら、将来彼女たちの夫になるのは、共産党のエリート青年か、若きIT富豪だろうと想像していた。

だが何と、二人とも社内結婚してしまったのである。

まずAさんが選んだのは、一応採用したものの、性格が暗く、あまりにうだつが上がらないため、そろそろクビにしようとしていた青年だった（実際にほどなく退職した）。出身も中国の僻地《へきち》で、背が低く猫背で、いつも煤《すす》けた同じジャンパーを羽織っていた。

私はAさんから結婚の報告を受けた時、思わず机を叩いて、「なぜだっ！」と叫びたくなった。

その気持ちをぐっと抑えて、「おめでとう」と祝福しながら、彼を選んだ理由を聞いてみた。すると、彼女はこう答えた。

「第一に、子供を産みたくないんです。第二に、夫の出世とか成功とか、そういうものを目指してあくせくするのが嫌なんです。

その点、彼は見ての通り、『欲望』とか『野心』というものが、まるでない。だから平々凡々な生活が送れるでしょう。子供の件も、彼は承諾してくれました」

何だか分かったような、分からないような……。

一方、Bさんが選んだ男性は、要領だけで生きているような人間だった。仕事のさぼり癖が抜けないどころか、頻繁に就業規則に違反する行為を続けたため、私は本人に退職勧告を出していた(彼もまもなく退職した)。

加えて、彼女よりかなり年齢が上で、バツイチの中年男だ。一体どこに惹《ひ》かれたのか?

「何せ北京戸籍を持った北京人だし、私の母親が『マイホームパパになれそう』と気に入ってくれて……。

実はこれまで長く、イケメン男性と付き合っていたんです。でもそういう人って、結婚すると浮気するでしょう。その点、彼はモテなそうだから、浮気の心配もないし……」

もう「勝手にしろ!」である。そう言えば、彼の好物は豚の角煮で、彼女の故郷の名産は白菜だった。

潤学《ルンシュエ》

中国を一党支配する共産党は、日本の政権与党である自民党の約86倍の党員数を誇っている（２０２１年末現在）。「自民党が地球なら、中国共産党は太陽さ」と私に豪語した中国の政治家がいたが、たしかにまもなく党員数が１億人を突破する世界最大の政党なのだ。

２０１２年11月15日、その頂点である総書記に上り詰めたのが、習近平氏である。習氏が総書記に選出された第18回中国共産党大会は、私も北京の人民大会堂で取材した。

習近平新総書記は２週間後の11月29日、自らが改装を指導した天安門広場東側の国家博物館を、「トップ７」（中央政治局常務委員）を帯同して参観した。お目当ては、特別展「復興の路《みち》」だった。そこには、１８４０年のアヘン戦争でイギリスに敗れ、香港島を割譲してからの「屈辱の１００年」と、１９４９年に毛沢東主席率いる共産党が中国統一を果た

し、今世紀に飛躍的な経済発展を果たすまでの「栄光の60年」が展示されていた。

習新総書記は、共産党ゆかりの展示物に囲まれた部屋で、「トップ7」の6人を直立不動にして、高らかに宣言した。

「いまや誰もが『中国の夢』を論じている。私が思うに、中華民族の偉大なる復興を実現すること、それこそが中華民族の近代以来の最も偉大な夢想なのだ！」

ここから、「中華民族の偉大なる復興という中国の夢の実現」、略して「中国夢《チャイニーズ・ドリーム》」が、習近平体制のスローガンとなった。

その翌月、私は北京を再訪し、北京大学留学時代の仲間たち3人と会食した。高級官僚二人と、メディアの幹部だ。その際、新たに掲げられた「中国夢」について訊ねると、一人がこう答えた。

「『中国夢』というスローガンは、大変すばらしい。ただ一つだけ心配がある。それはおそらく、『中国夢』を実現した中国人から、次々と海外へ飛び立ってしまうだろうということだ」

一同爆笑である。だが言われてみれば、その3人とも、表向きは日々、アメリカを批判していたが、子供たちをアメリカに留学させていた。私がそのことを指摘すると、「新総書記の一人娘（習明沢《しゅうめいたく》氏）だって、現在ハーバード大学に留学中らしいよ」と返された。

この会食時の話題にも出たが、思い起こすのは「『建国大業《けんこくたいぎょう》』事件」である。2009年10月1日の新中国建国60周年に合わせて、当時の胡錦濤政権の肝煎《きもい》りで、『建国大業』という国策映画を作ることになった。1949年の建国に至る苦難の中国現代史を、壮大なスケールで描く大作で、中国を代表する172人の俳優たちが総出演すると発表された。

ところが、ほどなくネット上で、彼ら俳優陣のほとんどが、すでに外国籍を取得していることが暴露されたのである。「『外国人』が演じて、何が『建国大業』か」というわけだ。その様子を、『中国青年報』(2009年8月19日付)は、こう報じている。

〈国家の成立を記念する大型映画『建国大業』に関する「俳優リスト」なるものが出回り、人々の論争が止《や》まない。リスト上の俳優たちには一つの共通点があって、それはすなわち誰もが外国籍を取得しているというのだ。「俳優リスト」に名が挙がった俳優たちの中で、結局、9人だけが映画の撮影に参加した。それでも、うち二人はやはり(中国籍を捨てて)香港のグリーンカードを取得していた。いまだ「国籍」論争は激しく吹き荒れている〉

当時、北京に住んでいた私は、文化産業の日系企業の副総経理(副社長)を務めていた関係で、中国の芸能界の人たちと付き合いがあった。その中に、「ミスター3」と呼ばれる男がいた。真偽は不明だが、「北京で3番目の富豪」という意味だそうで、「北京芸能界のドン」と恐れられていた。

「ミスター3」と会食時に、「『建国大業』事件」の話をしたら、苦笑して言った。

「彼らが外国籍を取るのは当然だ。かくいうオレだって、とっくに香港のグリーンカードを取得している。

その理由は第一に、外国の映画祭などを年中回るので、中国籍でいるとビザの取得が面倒だからだ。第二に、莫大な財産を手にしているので、いつ共産党に持っていかれるかしれないからだ」

私は、なるほどと思って聞いていた。だが当の「ミスター3」も、習近平政権になってほどなく御用となり、「失脚」がニュースになった。経営していた大会社も強制的に身売りさせられたくらいだから、全財産没収となったのだろう。

そんな習近平体制が発足して10年が経った2022年、「潤学《ルンシュエ》」という流行語が生まれた。「潤」は「潤《うるお》う」だが、もう一つ別の意味を掛けている。それは「潤」の中国語のピンイン（発音）にあたる「run」である。これを英語に見立てて、「走る」「逃げる」の意で用いているのだ。

つまり、「海外へ逃げて潤う」。これに「学」を付けて、「留学」の新しいスタイルというわけだ。「潤学」する人を「潤者《ルンジャー》」と呼ぶ。

中国の大学入試は「高考《ガオカオ》」（普通高等学校招生全国統一考試）と呼ばれる一発勝負で、202

2年は6月7日〜10日に開かれた。試験の時間割は地域によって微妙に異なったが、首都・北京の場合は以下の通りだった。

7日の9時〜11時半が語文（国語）、15時〜17時が数学、8日の15時〜17時が英語（外国語）で、ここまでが必須科目。続いて選択科目で、9日の8時〜9時半が物理、11時〜12時半が思想政治、15時半〜17時が化学、10日の8時〜9時半が歴史、11時〜12時半が生物、15時半〜17時が地理。思想政治とは、共産党の歴史から現在の習近平思想までを指す。

受験したのは、過去最多の1193万人！　彼らは「一人っ子世代」なので、親たちは息子や娘を、何としてでも大学に進学させようとする傾向がある。

だが前述のように、就職戦線は「超超超超氷河期」だ。特に、習近平政権が強行した「ゼロコロナ政策」の影響が大きかった。わずかな感染者でも都市をロックダウンしてしまうので、各地で会社や店舗の倒産が相次ぎ、就職先が激減してしまったのだ。

また、「高考」を受験した1193万人も、毎朝、試験会場でPCR検査を受けさせられ、陰性証明が出ないと教室に入れてもらえなかった。ただでさえ受験で緊張しているのに、毎朝のPCR検査まで加わったことで、受験生には悪評紛々だった。

そういうわけで、「いっそ海外に逃げてしまえ」という気運が、若者たちの間で高まり、「潤学」がブームになっているのだ。留学斡旋《あっせん》業界は、中国で例外的に活気づいている。

思えば、私が北京大学に留学していた1990年代も、卒業後に海外の大学院に留学する学生は多かった。当時は、一にアメリカ、二にヨーロッパ、三に日本かオーストラリアと言われていた。だがどこへ行くにしても、希望に胸を膨《ふく》らませての「留学」だった。実際、彼らの中には留学後に帰国した人が多く、胡錦濤時代には「海亀派《ハイグイパイ》」と呼ばれて経済発展の原動力になった。中国で起業して成功を収めた「海亀派」も少なくない。

その胡錦濤時代の2010年には、「裸官《ルオグアン》」が問題視された。何やら意味深な言葉だが、これは自分の子女が海外（主に欧米）へ留学する。その後時を置いて妻も子女のもとへ行く。こうして家族別居となった幹部が「裸官」だ。習近平時代の2014年末には、3200人余りの副処（課）長級以上の「裸官」を処分したと発表。私の知人も数人が職を追われた。だがいま起こっているのは、もっと後ろ向きの現象で、「逃亡としての留学」である。

「もうこんな国にいたくないから、留学にかこつけて逃げよう」というわけだ。

実際、コロナ禍にかこつけて、2022年5月10日に国家移民管理局は、国民の不要不急以外の出国を厳格に制限する方針を示した。そうなると「留学」以外に出国の道はなく、

一家全員で留学先を見つけて逃亡する「全家潤学《チュエンジアルンシュエ》」がはやり始めた。

習近平総書記が「中国夢」をスローガンに掲げて、丸10年。側近の誰かが「潤学」という流行語を、習総書記に教えてあげているだろうか？　いや、総書記は知らないだろうな。

第２章　毛沢東の再来を目指す習近平

共同富裕《ゴントンフーユイ》

２０２２年10月16日から22日まで行われた第20回中国共産党大会で、習近平総書記が異例の「３選」を果たした。

中国政治というのは、一党支配する共産党の大会が開かれる5年周期で回っている。そして共産党大会のメインイベントは、９６７１万共産党員（２０２１年末現在）のトップである総書記の選出だ。

総書記の任期に党規約（党章程《ダンジャンチェン》）の規定はないが、アメリカの大統領が「２期８年」であるように、「２期10年」というのが不文律だった。そのため「革命第三世代」の江沢民《こうたくみん》総書記は２００２年の第16回共産党大会で「革命第四世代」の胡錦濤総書記に譲り、胡錦濤総書記は２０１２年の第18回共産党大会で、「革命第五世代」の習近平総書記に譲った。

ところが現在の習近平総書記は、後身の「革命第六世代」に道を譲りたくない。隣国の

「盟友」ウラジーミル・プーチン大統領のように、半永久政権を築きたいと考えている。

それが14億中国人の総意であるというなら、他国の内政に干渉する気はない。ただ、「3選後」の中国の行く末が懸念されるのである。一から十まで毛沢東主席のマネをしている習近平総書記に、歯止めがかからなくなることが恐いのである。

1921年以来の中国共産党史を振り返ると、習近平時代のこれまでの10年というのは、1935年から50年代前半にかけての初期毛沢東時代に似ていた。結党当初は「泡沫《ほうまつ》党員」に過ぎなかった毛沢東氏が、戦乱の世を巧みに泳いで共産党を掌握し、国民党との内戦に勝って建国。天下平定後は政敵たちを抑えて、党内で盤石の地位を固めていった。

同様に習近平氏も、当初は総書記の「泡沫候補」に過ぎなかったが、江沢民グループと胡錦濤グループの激しい権力闘争の所産として、漁夫の利のようにトップに就いた。そこから10年かけて、「毛沢東張りの権力闘争」を党内で仕掛け、強固な権力基盤を築いた。

2021年7月1日、中国共産党は創建100周年を迎えた。この時の習総書記の重要講話などを聞いていると、その思考は、しごくシンプルである。すなわち、「第一の百年」（1921年7月～2021年7月）は、毛沢東主席が創った。その偉大なる功績を引き継いで、「第二の百年」（2021年7月～）は、自分が創っていくというものだ。

どう創るかと言えば、「中華民族の偉大なる復興という中国の夢を実現させる」。すなわち

「アジアの形」を、1840年のアヘン戦争と1894年の日清戦争前に戻すということだ。

毛沢東主席は1953年12月16日、党中央委員会の「農業生産合作社の発展に関する決議」において、「共同富裕」という概念を提唱した。

「工業と農業の二つの経済部門の発展の不釣り合いな矛盾を、徐々に克服していくのだ。かつ農民が一歩一歩、完全に貧困から脱却できるような状況にし、共同富裕と普遍繁栄の生活ができるようにするのだ」

以来、同月だけで『人民日報』に9回も「共同富裕」が登場した。この政策は、敬愛するソ連のヨシフ・スターリン書記長が1930年代に行った政策をまねたものだった。

毛主席のこの考えを結実させたのが、1958年に本格的に始まった「大躍進」である。この年、毛主席は集団農場化(人民公社)と急速な工業化を推進。「15年以内にイギリスの鉄鋼生産に追いつく」と宣言し、無謀な鉄鋼生産を始めた。

「東風が西風を圧倒する」と勇ましかったが、中国経済はたちまち破綻し、4000万人が餓死する三年大飢饉となった。それでも毛主席は、1960年代に入ると、今度は「文化大革命」を起こし、中国経済を丸10年にわたって停滞に追い込んだ――。

2021年7月1日に、共産党創建100周年記念式典を華々しく終えた習近平総書記は、1ヵ月半後の8月17日に中央財経委員会第10回会議を招集し、重要講話を述べた。

「第18回中国共産党大会（習近平総書記を選出）以来、国民全体の共同富裕の実現を、一歩一歩重要な位置に据えるようにしていった。共同富裕の良好な条件作りを促進してきた。われわれは国民全体の共同富裕の促進を、国民が求める幸福の力点に定めていく。共同富裕とは、国民全体の富裕であり、庶民の物質生活と精神生活がともに富裕になることだ。少数の人が富裕になることではなく、平均主義の線引きをすることでもない。高収入への規範と調整を強化する必要がある。合法的な収入を保護しながら、高すぎる収入を合理的に調節し、高収入の人々と企業が、さらに多く社会に還元するよう奨励する」

68年ぶりの「共同富裕」時代の幕開けだった。

習近平政権は「共同富裕」を、「調高拡中増低《ティアオガオクオジョンゼンディ》」という6文字に集約している。すなわち、「高所得者の収入を調整し、中所得者層を拡大し、低所得者の収入を増加させる」。

この降って湧《わ》いたような「共同富裕」宣言に、高所得者層の間で激震が走った。特に、芸能界のトップスターやプロサッカー選手、ＩＴ長者らが恐れおののいた。

実際、トップ映画スターだった呉亦凡《クリス・ウー》、ショパンコンクール優勝者のピアニスト・李雲迪《ユンディ・リー》、ナンバー１インフルエンサーの薇娅《ウェイ・ヤー》らが、次々に失脚していった。サッカー選手の年俸が大幅に引き下げられ、Ｊリーグの中国版であるCリーグは崩壊の危機に瀕《ひん》した。

大手ＩＴ企業は、アリババとテンセントが、それぞれ１０００億元（約2兆円）もの「共同富裕資金」への投資を申し出た。

抖音《ドウイン》（TikTok）を運営するバイトダンス（字節跳動《ズージエティアオドン》）は、この政策に不服と思われる創業者の張一鳴《ちょういちめい》会長が退任することでケリを付けた。最も抵抗を見せていた配車アプリ最大手のディディ（滴滴出行《ディディチューシン》）は、上場したばかりのニューヨーク証券取引所からの撤退を余儀なくされたあげく、80億2600万元（約1600億円）もの罰金を喰らった。そして大手IT企業には、等しく内部に強力な共産党組織が作られたのだった。

げに恐ろしきは「共同富裕」である。第20回共産党大会が近づくと、富裕層の間で翡翠《ひすい》を胸に着けて祈りを捧げることが、密かに流行した。「翡」は「習に非《あら》ず」、「翠」は「習が卒する（倒れる）」を意味するのだとか。

だが共産党大会で「3選」を決めた後、習近平総書記は共同富裕を引き続き推進していく意向で、そうなると、次の心配は「1958年の再現」である。

内政では、前述の「大躍進」が頭を擡《もた》げてくる可能性がある。農政改革が行われると同時に、アリババやテンセントなどは、事実上、国有企業のようになるかもしれない。

外交的には（中国からすれば内政だが）、「アヘン戦争と日清戦争前の状態に戻す作業」が行われるだろう。まずはアヘン戦争でイギリスに香港島が割譲された香港の「一国二制度」を換骨奪胎《かんこつだったい》させていく。もしくは「グレーターベイエリア」（広東省・香港・マカオの一体化）

推進の名のもとに、完全吸収する時期を、２０４７年から早めようとするかもしれない。

続いて、台湾である。習近平政権の主張は、日清戦争によって台湾を日本に奪われたことが、現在まで統一できていない「元凶」だというものだ。

１９５８年8月、毛沢東主席は、台湾が実効支配するアモイ近海の金門島《きんもんとう》への砲撃を命じた。約15万発もの砲弾が雨あられのように撃ち込まれ、金門島は阿鼻叫喚《あびきょうかん》と化した。

結局、中国人民解放軍による金門島奪還には至らなかった。習近平政権は「毛沢東の遺訓」である台湾統一を果たすべく、こうした台湾が実効支配する島嶼《とうしょ》部から手を付けていく可能性がある。その中には、中国が「中国台湾省の一部」と主張する尖閣諸島も含まれる。

習近平総書記が長期政権を目指すのであれば、「君主政治の理想形」と言われる盛唐の「貞観《じょうがん》の治《ち》」を演出した、唐の第2代皇帝・太宗《たいそう》（李世民《りせいみん》・在位６２６年〜６４９年）を手本にしてほしい。その要諦は、二人の「諫議《かんぎ》大夫《たいふ》」という「皇帝を諫《いさ》める役職」を置き、常に耳の痛い苦言を出させたことにあった。今風に言うなら「聴く力」だ。

だが、約２００人の歴代皇帝の中で、習近平主席が最も似ていると思われるのは、残念ながら唐の太宗ではなくて、清の雍正《ようせい》帝だ。5代目で、青年時代に苦労し、「泡沫皇帝候補」で、天下を取ってからは監察機関を強化して幹部（朝臣）たちを震え上がらせた……。

雍正帝がどんな最期を迎えたか。習主席には唐の太宗を始め、歴代の賢帝に学んでほしい。

不忘初心《ブーワンチューシン》

小学生の頃に、書き初めで書いたという方もおられるかもしれない。「初心忘れるべからず」——その原語が「不忘初心」である。

だが中国でいま、「初心忘れるべからず」と説いているのは、小学校の先生ではない。党員数9671万人（2021年末現在）という世界最大の政党・中国共産党のトップに君臨する習近平総書記なのだ。

「不忘初心」という言葉が、中国の文献上、初めて現れたのは、唐の大詩人・白居易《はくきょい》（772年〜846年）が晩年に詠《よ》んだ散文『画弥勒上生幀記《がみろくじょうしょうていき》』の中だ。834年、白居易は当時62歳頃で、宮仕《みやづか》えの合い間を見つけては、その10年前に故郷近くのいまの河南省洛陽《らくよう》に購入した自宅に帰っていた。洛陽は歴史上、13王朝の首都だった中国有数の古都だ。

「自分は弥勒《みろく》の弟子だ」という告白から入り、「いまや老病の身だが、ここに重ねて証《あかし》を述べる。初心を忘れずに、必ず思いを果たしたいものだ」と、心境を吐露している。後半のサビの部分を原語で記せば、「所以表不忘初心、而必果本願也」である。

白居易という詩人は、日本では、玄宗《げんそう》皇帝と楊貴妃《ようきひ》の34歳も年の離れた「世紀の愛」を詠んだ『長恨歌《ちょうごんか》』が有名である。平安時代に書かれた『源氏物語』や『枕草子』などにも、『長恨歌』の内容が引用されているほどだ。他の詩や散文なども秀逸で、虚心坦懐《きょしんたんかい》な性格が滲《にじ》み出ている。

私は以前、中国仏教の三大石窟《せっくつ》の一角、洛陽にある龍門《りゅうもん》石窟近くの白居易の「終《つい》の棲家《すみか》跡」を訪れたことがある。「あんな人間関係が腐った宮仕えなんか、もうこりごりだ」などと、唐の都・長安（現・西安）での官僚生活に、強烈な恨み節を書き残しているのが印象的だった。

「不忘初心」を含む『画弥勒上生幀記』も、そんな老境の境地を詠んだ散文である。ともかく、完全に個人的な思いを述べたものであることは確かだ。

このような原典を持つ「不忘初心」を、2016年7月1日に、突然唱えたのが習近平総書記だった。この日の午前中、北京の人民大会堂で、中国共産党創建95周年の記念式典が開かれた。そのイベントで習総書記が、例によって長い重要講話を述べたが、その中でこう説いたのだ。

「われわれの党（共産党）が団結してリードしてきた、中国人民のたゆまぬ奮闘の輝かしい道のり、及び偉大な貢献と歴史の啓示《けいじ》を、全面的に総括するのだ。そして『不忘初心』を深く刻み込んで、引き続き前進していくのだ」

この日から、「全党全軍全民」に、すなわちすべての共産党員と人民解放軍兵士と国民に向けて、「不忘初心」のキャンペーンが展開されていった。正確には、「不忘初心、牢記《ラオジー》使命《シーミン》」（初心を忘れず、使命を肝《きも》に銘《めい》じる）という8文字がスローガンだ。

このキャンペーンは、その後も延々と続き、5年後の2021年7月1日に挙行された中国共産党創建100周年の記念式典でも、習近平総書記はこのスローガンを強調した。おそらく習近平体制が続く限り、唱え続けることだろう。

では習総書記にとって、「初心」とは何を意味するのか？

前でも少し述べたが、習近平という政治家は、新中国の「建国の父」毛沢東主席を崇拝《すうはい》している。私は以前、習総書記の側近から、こんな話を聞いたことがある。

「習総書記の毛主席に対する崇拝ぶりは、尋常でない。常に『毛主席ならどうするだろうか？』と自問しながら行動している。重要な政治決断を下す前には、毛主席ゆかりの地を視察するほどだ。

中国では還暦を、人生の一区切りと考える。毛主席よりちょうど60年後に生まれた習総書記は、もしかしたら自分を毛主席の生まれ変わりと思っているのではないか」

習近平総書記は1953年6月15日、副首相まで務めた習仲勲《しゅうちゅうくん》氏と、2番目の妻・斉《さい》心《しん》氏の長男（前妻・郝明珠《かくめいじゅ》氏の息子・習正寧《しゅうせいねい》氏も含めれば次男）として、北京・和平里の幹部用住宅で生まれた。特権階級の出身だが、1962年に父親が権力闘争に敗れて一時失脚したこともあって、6年9ヵ月も陝西《せんせい》省の寒村・梁家河《りょうかか》に「知青《ちせい》」（知識青年の農村での労働）として送られた。年齢で言えば、15歳から22歳までの最も多感な青春時代だ。

私は習総書記の幼なじみにも話を聞いたことがあるが、こんなエピソードを披露した。

「知青時代の習近平は、『毛主席語録』と、日々毛主席を礼賛する『人民日報』だけを読んで過ごした。梁家河でも、そのような学習会が頻繁に開かれた。そのため、すっかり毛沢東思想に『洗脳』されてしまったのだ。

加えて、絶対に表情を表に出さない人間になった。表情を出すと周囲に付け込まれるかもしれないからだ。

そして北京へ戻ってからも、『毛主席のような偉大な人間になりたい』と思い続けた。そのため1992年に生まれた一人娘に、『明るい毛沢東』のように育ってほしいと願って『明沢《めいたく》』と名づけた」

習近平総書記の公式のスピーチは、すべて「重要講話」と呼ばれ、共産党員は手書きで書き取りをさせられる。私は中国共産党員でないので書き取りはしないが、日々フォローしている。

そんな中で気づいた特徴の一つが、『毛主席語録』からの引用が、やたらと多いことだ。冒頭の白居易の散文の引用など例外的で、「いつもどこかに毛語録」という感じなのだ。

前任の胡錦濤総書記のスピーチでは、『毛主席語録』はほとんど出てこなかった。むしろ鄧小平氏が唱えた「改革開放」などの実用的な言葉が多用されていた。その前任の江沢民総書記も同様だった。

もうお分かりだろう。習近平総書記が説く「初心忘れるべからず」とは、「毛沢東主席とその時代を忘れるべからず」という意味なのだ。

「毛沢東時代」がいつからを指すかは、議論の分かれるところだ。１８９３年に湖南省に生まれ、１９７６年に共産党主席のまま82歳で死去したが、中国を統一したということで言えば、１９４９年からだ。また共産党内部で実権を握ったということで言うなら、１９３５年の遵義《じゅんぎ》会議からだ。

だが、おそらく習総書記の脳裏では、「毛沢東時代」は「１９２１年7月から１９７６年9月まで」である。すなわち、中国共産党が誕生してから毛主席が死去するまでだ。

中国共産党の結党大会は、１９２１年7月に、13人のメンバーが上海代表（李《り》漢俊《かんしゅん》氏）の自宅に集まって開かれた。途中で官憲に踏み込まれたため、逃亡。結党の宣言を出したのは、浙江省嘉興《かこう》にある南湖《なんこ》に浮かぶ船上だった。その時、長沙代表の毛沢東氏は結党メンバーの一人ではあったものの、「主役」ではなかった。

中国共産党内で毛沢東氏が権力を掌握したのは、国民党軍に追われて敗走中（中国共産党はこれを「長征《ちょうせい》」と呼んで称えている）の１９３５年1月に、貴州省遵義で開いた前述の遵義会議からだ。だが、習総書記にとっては、結党当初から「毛沢東時代」なのだ。

そのため重ねて言うが、「初心忘れるべからず」とは、「毛沢東時代を忘れるべからず」という意味なのである。換言すれば、「偉大な建国の父」の「後継者」（習総書記）をも尊敬しなさいと督励《とくれい》しているとも解釈できる。

実際、習総書記は共産党の歴史を、「第一の百年」（１９２１年7月～２０２１年7月）と「第二の百年」（２０２１年7月～）に区別する。前者が毛沢東時代で、後者が習近平時代という意味だ。

そうだとするなら「初心を忘れず」、毛沢東時代の負の遺産――４０００万人が餓死した大躍進や、10年間経済が麻痺《まひ》した文化大革命など――も、今後再現されるのか？

「不忘初心」を最初に唱えた白居易は、草葉の陰で何を思うだろう。

学査改《シュエチャーガイ》

「学習」という言葉は、孔子《こうし》（紀元前552年〜紀元前479年）と弟子たちの言行録である『論語』の「学而《がくじ》」に出てくる、「学びて時に之《これ》を習う、亦説《またよろこ》ばしからずや」（学而時習之、不亦説乎）から来ている。爾来《じらい》、中国でも日本でも、「学習」は教育とイコールのように重視されてきた。

ところが現在の中国では、「学習」にもう一つ別の意味がある。ヒントは、これが分かればあなたも「習近平通」。そう、「習近平を学ぶ」ということだ。

14億人を超える中国人は、伝統的な儒教の精神に加えて、「習近平新時代の中国の特色ある社会主義思想」を学ばないといけないのだ。

「習近平を学ぶ」とは、具体的にどういうことか？　習近平総書記自身がこうしたことを唱え始めたのは、２０１６年2月からだ。例えば同年4月25日、視察先の安徽《あんき》省で、地元の幹部たちを前に、こう命じた。

「われわれには、自己の内なる革命が必要だ。『両学一做《リアンシュエイーズオ》』（党章党規と習近平重要講話を学び、資格ある党員となる）教育は、今年の中国共産党の一大事業だ。これを全党員が貫徹していかねばならない！」

こうして「両学一做」運動が始まった。すぐに、当時8875万人いた中国共産党員全員に、『中国共産党党内重要法規（2016年版）』（国家行政学院政治学部編）と『習近平総書記系列重要講話読本（2016年版）』（中国共産党中央宣伝部編）が配られた。

「配られた」と言うと、気前よく無償提供されたように感じるが、実態は少し異なる。中国共産党は党員の基本給与の0・5%～2%（給与水準によって4段階）を党費として徴収しており、そこからまかなわれたからだ。

こうした理由で、習近平総書記は「中国最大のベストセラー作家」である。かつて『毛主席語録』などで莫大な印税を得ていた毛沢東主席と同じだ。中国全土の書店では、習近平総書記の著作を、入り口近くの「一番見やすい場所」に置くことが指導されている。

ちなみに、2022年も「中国最大のベストセラー作家」は、「新作」を連発している。『世界経済フォーラム（ダボス会議）オンライン会議講演』（2月）、『北京冬季オリンピック・パラリンピック総括表彰大会での講話』（4月）、『習近平外交講演集』（第1巻、第2巻、5

月）、『手を携えて挑戦に立ち向かう──ボアオ・アジアフォーラム２０２２年年次総会開幕式の基調講演』（５月）、『中国共産主義青年団成立１００周年慶祝大会での講話』（５月）、『香港祖国返還25周年慶祝大会・香港特別行政区第６期政府就業式典での講話』（７月）、『習近平強軍思想学習問答』（８月）、『習近平　国政運営を語る』（第４巻、９月）、『習近平の人権尊重と保障についての論述摘要』（９月）、『習近平生態文明思想学習綱要』（９月）、『習近平の社会主義精神文明建設に関する論述選集』（９月）……。

ともあれ、２０１６年から習総書記の重要講話などを書き写す「習字運動」が始まった。パソコン上だと容易にコピペできてしまうので、昔風の手書きを強要したのである。各党員は日々、重要講話のどの部分を書き写したかを、共産党の上長に報告しなければならない。他人に小遣いを渡しての代筆を防ぐため、筆跡のチェックまで行われた。

また「一做」として、こうした書き写しによって、自分が汲み取った習近平総書記の偉大性などを表述する「学習会議」も、官公庁や国有企業で始まった。それには、自分の行いを反省する「自己批判」も含まれる。

例えば、私の友人が勤める北京の国有企業では、毎週金曜日の午後が「学習会議」に当てられた。

「そんな『学習』をしていて、本来の仕事はどうなるの？」

私は思わず、「愚問《ぐもん》」を発してしまった。

「習近平総書記の重要講話を『学習』する以上に大事な仕事があるか！――共産党幹部ならそう答えるだろうね」

友人は、ため息交じりに答えた。

中国人は、よく挨拶代わりに「吃了《チーラ》嗎《マ》？」（もうごはん食べた？）と声を掛《か》け合う習慣がある。だがこの頃から、「抄了《チャオラ》嗎《マ》？」（もう書き写した？）に変わっていった。習慣とは恐ろしいものだ。

他にも、手を替え品を替え「学習運動」が起こった。例えばＣＣＴＶでは、２０１８年10月８日から19日まで12夜連続で、ゴールデンタイムの夜８時から『平〝語〟近人――習近平総書記用典』が放映された。

番組名は、習近平の名前「近平」をもじって、「平易な語で人に近づく習近平総書記用語辞典」としたのだ。毎日一語ずつ「習近平語録」を採り上げ、その素晴らしい意味内容を解説していくという番組である。共産党員は必見で、この番組をもとに全国４９３万ヵ所の「基層（末端）党組織」で「学習会議」が開かれた。

こうした流れで、第20回共産党大会を７ヵ月後に控えた２０２２年３月、新たに始まったのが「学《シュエ》査《チャー》改《ガイ》」運動だった。中国共産党のホームページでは、こう解説している。

〈習近平新時代の中国の特色ある社会主義思想、特に習近平経済思想の深い学習を貫徹するため、(各)機関の党が打ち建てた政治指導と政治による保障の役割を十分に発揮し、習近平総書記の重要指示と党中央が決定した経済活動政策の手配実行を見定めていく〉

要は、習近平総書記が日々述べた「重要講話」などを学習し、その偉大性を精査し、講話に合わせて自己改善を図っていくという運動だ。習近平政権が固執した「ゼロコロナ政策」(動態清零)を啓蒙していくという目的にも利用された。

習近平総書記の「重要講話」など、日本人は聴き慣れないだろう。例えばこんな調子だ。2022年4月29日の党中央政治局第38回集団学習会で行った長い「重要講話」の一部で、監督管理の重要性について述べた一節を紹介しよう。

「監督管理体制の機構制度改革を深化させ、法による監督管理、公正な監督管理、出だし部分の監督管理、精密な監督管理、科学的な監督管理を堅持するのだ。監督管理責任を全面的に実行し、監督管理方式のイノベーションを起こし、監督管理の至らない点を補修し、資本の監督管理能力と、監督管理システムの現代化のレベルを引き上げるのだ。

法律法規が明らかでない場合は、『審査批准する者が監督管理し、主管する者が監督管理する』という原則に照らして、監督管理責任をしっかりさせるのだ。現場での監督管理を強化し、地方は現場の監督管理責任を全面的に実行し、監督管理を隅々まで確保できるようにしていくのだ。

業界のコントロールと総合的なコントロールの分業協作機構制度を強化し、業界の監督管理と金融の監督管理、外資の監督管理、競争の監督管理、安全の監督管理など総合的な監督管理の協調連動を強化していくのだ……」

最後までマジメに読み、「監督管理」が何回出てきたか数えられれば、あなたには立派な中国共産党員になる資質があると言えるだろう（答えは23回）。

最近では、もはや「抄了嗎？」の挨拶も消えた。誰もが書き写しているに決まっているからだ。

私は1995年、北京大学に留学していた時、国文学教授からこんな話を聞いたものだ。

「解放後、毛沢東主席は、『農民でも漢字の読み書きができるよう、10画以内に漢字を簡略化せよ』と指令を出した。こうして簡体字が生まれたのだ。

その後、漢字の簡略化は次々に進み、『習』の字の番になって『习』と簡略化した。ところが国文学者たちが、『雛鳥《ひなどり》が巣で両羽を羽ばたかせている姿を象《かたど》った漢字なのに、片方しか羽がなければ羽ばたけないではないか』とクレームをつけた。それで『習』の字をもって、漢字の簡略化を止めたのだ」

長期政権を目指す习近平総書記は、うまく羽ばたけるのか？

戦狼外交《ジャンランワイジアオ》

私は30年ほど前から、中国外交部（外務省）の外交官たちと付き合い始めた。東京・六本木の中国大使館の領事部には、宋代の大詩人・蘇軾《そしょく》（1037年〜1101年）の大らかな詞《し》『水調歌頭《すいちょうかとう》』の額が掲げてあった。台湾の歌手テレサ・テン（1953年〜1995年）がこの詞に素晴らしいメロディをつけて歌っていて、旅行ビザを取りに行くたびに口ずさんだものだ。

当時の領事部長は、いつも私のパスポートに、上下反対向きにビザを押すので、ある時、聞いてみた。すると彼は、ポカンと口を開けて言った。「あっ、ホントだ」

ビザの押し方など気にしていなかったのだ。そして続けて言った。

「でも、どう押してあったって有効ではないか。そんなこと気にするなんて、あなたは日本人だねえ」

今度は私が、ポカンとなった。

以後、この領事部長と親しくなって、ランチをご一緒した。まもなく定年退職になり、帰国するというので、後輩の外交官を紹介してくれた。

当時の中国の外交官は、彼のように豪放磊落《ごうほうらいらく》な方が多かった。豪快に食べ、飲み、語り合ったものだ。彼らが怒りの表情を見せるのは、私がうっかり台湾を称える発言をした時だけだった。1972年の日中国交正常化の時に、パンダ「康康《カンカン》」と「蘭蘭《ランラン》」を上野動物園に贈ったことになぞらえて、「われわれはパンダ外交の国だから」と言うのが口癖だった。

当時の中国の外交官たちは、日本に対する「敬意」の念を持っていた。それは日本の側も同様で、日中国交正常化20周年にあたる1992年の内閣府調査では、55・5%の日本人が、「中国に親しみを感じる・どちらかというと親しみを感じる」と答えている。平成の天皇皇后が訪中したのも、この年だった。

ところが、国交正常化40周年の2012年が、転機の年になった気がする。9月に野田佳彦民主党政権が尖閣諸島を国有化し、11月に習近平副主席が共産党総書記に就いた年だ。

胡錦濤政権の「和諧《わかい》社会・和諧世界」（調和のとれた社会・世界）に代わって、「中華民族の偉大なる復興という中国の夢の実現」（中国の夢）をスローガンに掲げた習近平政権は、ひたすら「強国・強軍」の道を邁進《まいしん》していった。2004年から2007年まで駐日大使を務め、その時は親日ぶりをアピールしていた王毅《おうき》氏も、2013年3月に発足した習近平政権で外交部長（外相）に就くや、まるで別人のように強硬な発言を繰り返すようになった。

ある時、中国の外交官が私に言った。

「習近平主席が、『楊潔篪《ようけつち》同志（中国外交トップの前外交部長）は、名前の通り虎《とら》のように勇ましい外交を行う。中国の外交官たるもの、こうあるべきだ』と述べたという話だ。われわれはもうパンダではない。パンダは虎になったのだ」

第19回中国共産党大会を3ヵ月後に控えた2017年7月、中国全土で「国策映画」とも言える『戦狼《せんろう》Ⅱ』（邦題は『ウルフ・オブ・ウォー』）が公開された。この映画は空前の大ヒットを飛ばし、興行収入56億8100万元（約1136億円）の中国新記録を打ち立てた。

内容は、一言で言えば「中国版『ランボー』」だ。アフリカのある国で、米CIAと思しき外部組織に煽動《せんどう》された反政府グループが、政府転覆《てんぷく》を謀《はか》る。窮地に立たされた政府は、フリーの中国人ボディガード・冷鋒《れいほう》（主役兼監督の呉京《ごきょう》）に助けを求める。冷鋒は八面《はちめん》六臂《ろっぴ》の活躍を見せ、反政府グループを殲滅《せんめつ》する。実に単純明快な勧善懲悪《かんぜんちょうあく》ストーリーだ。

私も公開されてすぐに、北京の映画館で観たが、広い館内は若者たちで満席だった。冷鋒が「ドドドドッ！」と機関銃を撃って敵を倒すたびに、客席が「ウォーッ！」と盛り上がる。何だか好戦的だった毛沢東時代に戻ったかのようだ。

最後は冷鋒が反政府グループを一掃して、なぜか「五星紅旗《ごせいこうき》」（中国国旗）をアフリカの大地に立てる。そこで観客の熱狂は、最高潮に達した。中国の若者たちは皆、満足げな表情で、ただ私だけが何となく解《げ》せない気持ちで、映画館を後にしたのだった。

この映画が大ヒットしてから、「戦狼精神」を始め、強気、強気で行動することを意味する「戦狼〇〇」という言葉が流行語になった。その一つが「戦狼外交」である。

中でも、2020年2月24日に、第31代中国外交部発言人《スポークスマン》（報道官）としてデビューした趙立堅《ちょうりつけん》外交部新聞司（報道局）副司長は、その過激な発言から、「戦狼外交官」「戦狼発言人」と呼ばれるようになった。ちょうど中国で新型コロナウイルスが蔓延《まんえん》していた時期だ。

この「戦狼外交官」の名を一躍有名にしたのが、就任して1ヵ月も経たない3月12日に、自らのツイッターでつぶやいたひと言だった。新型コロナウイルスを「武漢ウイルス」と呼んで中国批判を強めていたドナルド・トランプ米大統領に対する反論だ。

〈武漢における新型ウイルスの流行は、アメリカ軍と何らかの関係があるかもしれない〉

2019年10月、武漢で第7回CISMミリタリーワールドゲームズ（世界軍人運動会）が開かれ、これに参加したアメリカ軍が新型コロナウイルスの発生源だった可能性があるという発言だ。中国の一市民ではなく、中国政府を代表する外交部報道官が発言したことで、国際問題になった。

だが趙報道官は、発言を取り消すどころか、翌日も平然とつぶやいた。〈この記事（アメリカが発生源と指摘した記事）は誰にとっても非常に重要なので、読んでリツイートしてほしい〉。結局、ツイッター社からファクトチェック（事実確認）の「警告ラベル」を貼り付けられてしまった。

私は日々、中国外交部のホームページで会見の内容を見ているが、その後もこの「戦狼外交官」の「暴走」は止まらなかった。例えば、以下は同年6月の会見でのやりとりだ。

外国人記者「6月2日に発表された香港の世論調査によれば、3月よりも13％多い37％が未来を悲観視していて、香港を離れて移民になりたいと答えている。これを中国として、どう考えるか？」

趙報道官「記者が何を言いたいのか分からないが、香港人は（香港が嫌なら）中国に来る自由がある」

外国人記者「（中国在住カナダ人を中国当局が次々に拘束した）『人質外交』について、中国の立場はどうなっているのか？」

趙報道官「そういうことは、ふさわしくない国に聞くものではない。一番いいのはあなたが（ファーウェイの孟晩舟《もうばんしゅう》副会長を拘束した）カナダへ行って、『人質外交』って何ですか？　と聞くことだ」

翌年、中国の「戦狼外交官」は、日本にも出現するようになった。2021年6月29日に着任した薛剣《せつけん》大阪総領事だ。

〈害虫駆除!!! 快適性が最高の出来事また一つ〉（10月26日、アムネスティ・インターナショナルの香港撤退報道を受けて）

〈気ちがい（原文ママ）のこの人達がアメリカをダメにしたのだ。!!!〉（11月3日、アメリカでアフガン再攻撃の声が起こっていることに対して）

〈ハエがウンコに飛びつこうとする西側子分政治家〉（11月21日、北京冬季五輪の政治的ボイコットの動きに対して）

2022年に入っても、2月24日に侵攻を始めたロシア軍に徹底抗戦を決めたウクライナを皮肉って、こんな発言をしている。

〈弱い人は絶対に強い人に喧嘩《けんか》を売る様な愚か（な行為）をしては行けないこと!〉

2021年の年末に大阪出張したついでに、旧知の薛総領事を訪ねて長時間歓談した。その時、「もう少し穏やかになってはどうか」と建議すると、総領事曰く、

「私は戦狼外交官でなくパンダ外交官だ。私のツイッターは、日本国民へのラブコールだ。日本は『不倫国家』（台湾に浮気する国）にならず『正妻』（中国）を大事にしろと言いたい」

大阪に赴任し半年というのに、名物のたこ焼きも口にしていないというのが残念だった。

佩洛西竄台《ペイルオシーツアンタイ》

現在中国で日常使われている漢字は、皇帝制度が廃止されて16年後の1928年、後に南京師範学院の院長などを歴任する教育者の陳鶴琴《ちんかくきん》教授らが、「語《ご》体文《たいぶん》応用字《おうようじ》滙《わい》」を定めたことに始まる。そこでは、1画の「一、乙」に始まり、計4261字の漢字が、いわゆる「常用漢字」に定められ、これに基づいて学校教育が施された。

その後、1949年にいまの中国が建国されると、1954年に中国文字改革委員会が成立した。そして10年後の1964年に簡体字を定めた「簡化《かんか》字総表《じそうひょう》」を公布。1986年に改訂版が出されて、現在に至っている。

同時に「常用漢字」も、その時々で増減しながら、最終的に1988年に、「現代漢語《げんだいかんご》常用字表《じょうようじひょう》」としてまとめられた。そこには「常用字」（常用漢字）2500字、「次常用字」（準常用漢字）1000字の計3500字が収められている。

同じ漢字文化圏の日本では、「常用漢字表」（２０１０年版）に２１３６字を収めているので、中国の方が６割増しだ。これは中国人の方が賢いとかいうことではなくて、中国語には日本語のような漢字を崩した平仮名やカタカナがないためだ。特に外来語や外国人名を、すべて漢字で書き表さないといけないため、多くの漢字を必要とするのである。

例えば、ロシアの文豪ドストエフスキーの代表作『罪と罰』の主人公の名前は、「羅迪恩《ルオディエン》・羅馬維奇《ルオマーウェイチー》・拉斯柯爾尼科夫《ラースークーアルニークーフー》」。ちなみにドストエフスキーは、「費奥多爾《フェイアオドゥオアル》・米哈伊洛維奇《ミーハーイールオウェイチー》・陀思妥耶夫斯基《トゥオスートゥオイエフースージー》」。まったく気が遠くなるような漢字の羅列《られつ》である。

それでは、新たに外国のリーダーなどが登場した場合、中国ではどうやって漢字を当てていくのか。これは、国営新華社通信が報じたものが基準になる。新華社が報じない外来語や外国人名に関しては、適当に音訳していく。

以前は、同じ外国の政治家でも、中国大陸側と台湾側が定めた漢字名が異なるケースがままあった。例えば、「羅納徳《ルオナードゥ》・里根《リーゲン》」（中国大陸側）と「隆納《ロンナー》・雷根《レイゲン》」（台湾側）は同一人物、ロナルド・レーガン第40代アメリカ大統領である。最近は台湾側が、中国大陸側が付けた漢字名に合わせているように見受けられる。

それでは、「命名する」という重責を負った新華社通信は、どうやって漢字を決めているのか。同社の幹部に訊《たず》ねると、「意外といい加減に決めている」とのこと。「なぜなら次から次に新たな外国人が出てきて、慎重に検討している暇がない」

それでも、これは私の推測だが、命名者の「遊び心」が、多少は入っている気がする。

例えば、かつてイラクに君臨した独裁者のフセイン大統領は「侯賽因《ホウサイイン》」と命名されたが、「勝ち気な因子を持った君主」と読めなくもない。ロシアにプーチン氏が登場した時は、「普京《プージン》」と命名。当時は、強烈な個性の持ち主だったエリツィン大統領に較べると、「京《みやこ》に入った普通の人」に映ったものだ（その後、豹変《ひょうへん》したが）。

アメリカ人についても、トランプ大統領は「特朗普《トゥランプー》」で、「特に朗《ほが》らかな普通の人」。バイデン大統領は「拜登《バイデン》」で、「（周囲を）拝みながら（出世の階段を）登る人」。何となく本人たちのイメージに合った、発音の近い漢字を当てているではないか。

それで、この項の主人公のナンシー・ペロシ米下院議長である。中国語では「南希《ナンシー》・佩《ペイ》洛西《ルオシー》」と記す。「洛《みやこ》の西で（周囲に部下たちを）佩《は》く人」。ペロシ氏の選挙区は西海岸のサンフランシスコであり、そこで多くの部下たちを従えるイメージだ。ちなみに台湾では彼女は、「鉄娘子《ティエニアンズ》」（鉄の女）というニックネームで呼ばれている。

そんな彼女が、2022年8月2日の深夜、アメリカの軍用機に乗って、台北の松山《ソンシャン》空港に降り立った。熱烈歓迎の蔡英文《さいえいぶん》政権と、激憤慷慨《げきふんこうがい》の習近平政権。

中国ではこの一件を、「佩洛西竄台事件」と呼んだ。「竄《ツアン》」という字は、「穴冠《あなかんむり》」に「鼠《ねずみ》」

と書くように、鼠が逃げ回って穴に隠れようとする時のあの動作を指す。「ペロシが逃げ回って台湾を訪問した事件」という意味だ。

中国人民解放軍は8月4日から、前代未聞の台湾を取り囲む6ヵ所の海空域で大規模軍事演習を開始。中台はにわかに一触即発となった。

中国ウォッチャーである私はこの一件を、「中南海《ちゅうなんかい》」(北京の最高幹部の職住地)の権力闘争の視点から見ていて、中国政治の奥深さに驚嘆してしまった。さすがは14億人という世界最大の国家を束ねる習近平主席(総書記)である。この男、ただ者でない。

7月下旬に「佩洛西」一行がシンガポール、マレーシア、台湾、韓国、日本というアジア歴訪の旅に出ようとしていた頃、習近平総書記は、紀元前206年の漢の劉邦《りゅうほう》のような心境だった。この年、何があったかと言えば、中国史上最も著名な宴会、「鴻門之会《こうもんのかい》」だ。

秦《しん》王朝が崩壊しつつあった当時、最大の実力者だった楚《そ》の項羽《こうう》よりも先に、都のある関《かん》中《ちゅう》に入ってしまった劉邦は、項羽から鴻門で行う宴会に呼びつけられる。行けばその場で殺される可能性が高く、行かなければ漢が全面攻撃に遭《あ》うのは必至だ。結局、劉邦は宴会に出席するが、途中でほうほうのていで宴会場から逃げて、九死に一生を得た。

習近平総書記も、8月第一週の週末に河北省北戴河《ほくたいが》の避暑地で開く「北戴河会議」への出席が予定されていた。この会議が、行くも地獄、行かぬも地獄だったのだ。

この会議の最大の特徴は、すでに第一線を退いた長老（元幹部）たちも参加することだ。共産党の現役執行部は一年に一度、北戴河で長老の意見に耳を傾け、「ガス抜き」を図るのである。これをやらないと長老たちが、権力闘争や執行部批判を始めかねないからだ。

例年なら北戴河会議は、しゃんしゃんと進むことが多い。たとえ長老たちから苦言を呈《てい》されても、総書記が「老同志《ラオトンジー》（先輩）のご忠言を肝に銘じて取り組みます」と言えば収まる。

ところが10年に一度の「政権交代期」だけは、ガチンコの権力闘争になる。数ヵ月後に迫った共産党大会で最高幹部人事を発表するからだ。２０２２年がまさにその年だった。

民主的な選挙を行わない中国共産党では、北戴河会議で最高幹部人事と方針の大枠を決めるのである。そしてそれらを数ヵ月後の共産党大会で承認し、選ばれた人たちが翌年３月に新政権を発足させ、国政を執り行う。つまり北戴河会議が、おおもとなのだ。

２０２２年夏は、悪名高い「ゼロコロナ政策」（動態清零《ドンタイチンリン》）による中国経済の悪化に加え、習近平主席の「プーチンべったり外交」もやり玉に挙がっていた。何せ「米欧との協調路線による中国の経済発展」が、長老たちのレガシーである。そんな彼らにしてみれば、10月16日の第20回共産党大会で習近平総書記の異例の「3選」などもってのほかで、「引退勧告」を突きつける気でいた。李克強首相ら「米欧協調派」の現役幹部も同調すると見られていた。

そこへ、「佩洛西竄台」という「飛んで火に入《い》る夏の虫」である。習総書記は、「台湾有事が発生しており、北戴河には司令部もなければ、アメリカの空爆に耐える施設もない」として、中南海（北京）を離れなかったのである。

それでも長老たちは収まりがつかず、習総書記に対して、台湾近海での軍事演習を早期に終了させて北戴河へ出向くよう迫った。そこで習近平中央軍事委員会主席は、8月10日にようやく軍事演習を終わらせ、北戴河に向かった。

だが、あれだけ激しい台湾危機が「演出」された後では、さしもの長老たちにも、習総書記の首に鈴をつけるパワーはなかった。習総書記は「総書記3選」の理由を、自己の政権のスローガンである「中華民族の偉大なる復興という中国の夢の実現」、すなわち台湾統一が、「2期10年」で果たせなかったことを挙げていた。そんな中、「佩洛西竄台」とその報復としての大規模軍事演習は、習総書記の主張に正当性《レジティマシー》を与えたのである。

かくして、習近平総書記は、「総書記3選」を事実上、押し切ってしまった。

私は習近平総書記を、２０１２年11月15日の誕生の日から、人民大会堂で取材して見てきたが、傑出している能力が二つある。それは、巧みな権力闘争術と強運である。どちらも習総書記が崇拝する毛沢東主席に通じるものだ。

そしてこの時も、この二つの能力は存分に発揮されたのだった。

もしも「佩洛西竄台」がなかったなら……。いや、歴史に「たら、れば」は禁句だ。

千年大計《チエンニエンダージー》

紀元前221年に、広大な中国全土を初めて統一した秦《しん》の王・嬴政《えいせい》は、「わが徳は三皇（伝説上の天皇・地皇・人皇）を兼ね、わが功は五帝（伝説上の黄帝《こうてい》・顓頊《せんぎょく》・帝嚳《ていこく》・堯《ぎょう》・舜《しゅん》）を蓋《おお》う」と宣《のたも》うた。それで自らを「皇帝」と名乗り出した。始めの皇帝なので、後の人々は「秦始皇《チンシーホアン》」（秦の始皇帝）と呼んだ。

秦の始皇帝は、天下統一から9年後の紀元前212年、首都・咸陽《かんよう》に近い驪山《りざん》の西側（現在の陝西《せんせい》省西安西郊）に「天下第一宮」の建造を命じた。約5km×約3kmにわたる当時の世界最大規模の宮殿「阿房宮《あぼうきゅう》」である。

こうして万里の長城、始皇帝陵（墓）、秦直道（街道）に続く4つ目の巨大工事が始まった。動員された罪人などは、計70万人以上に上ったと、『史記　秦始皇本紀第六』は記す。

だが、不老長寿を夢見た始皇帝は、紀元前210年に49歳で永眠。18番目の息子で二世

皇帝に就いた胡亥《こがい》が工事を引き継ぐが、３年後に宦官《かんがん》の趙高《ちょうこう》が反乱を起こす。そして３代目の子嬰《しえい》秦王が漢の劉邦《りゅうほう》に玉璽《ぎょくじ》を渡して秦は滅亡。「未完の宮殿」は吹きさらしにされた。

一説には、紀元前２０６年末に楚《そ》の項羽《こうう》が咸陽に入城した後、焼き払ったとも言われる。いずれにせよ、紀元前２０２年に項羽軍を滅亡させ、前後４００年続く漢帝国を築いた劉邦は、阿房宮には見向きもせず、自らの宮殿「未央宮《みおうきゅう》」を建設した。

そんな秦の始皇帝の時代から約２２００年を経た２０１７年2月23日。すでに中国で天下を取って４年３ヵ月が過ぎた習近平総書記は、首都・北京から南に１０５㎞ほど下った河北《かほく》省の荒れ果てた大地にやってきた。そこで仁王立ちになって荒地を見渡し、大勢の幹部を直立不動にさせて、高らかに宣言した。

「ここに第二首都、『雄安《シオンアン》新区』を建設する。いまから第三の国家的新区プロジェクトを立ち上げる。これは国家千年の大計だ！」

こうして、突然降って湧《わ》いたように、第二首都建設の「千年大計」が始まった。

鄧小平《とうしょうへい》副首相が改革開放政策を始めて間もない１９８０年、香港に隣接した人口３万人の漁村・深圳《しんせん》に、中国初の経済特区を建設した。「ここにもう一つの香港を造る」と鄧副首相が宣言した時、随行した幹部たちは失笑した。

だが現在、深圳は香港の２倍規模の巨大都市に成長し、ＧＤＰも２０１８年に香港を追い抜いた。これが、新中国最初の国家的新区プロジェクト「深圳経済特区」である。

2番目は1990年、当時の江沢民主席が、お膝元の上海を流れる黄浦江《こうほこう》の東側の荒地に、浦東《ほとう》新区を立ち上げた。この時も、当の上海市民でさえ、「浦西（旧市街）のベッド一つの方が、浦東の一部屋よりも欲しい」（寧要浦西一張床、不要浦東一間房）と揶揄《やゆ》したものだ。だが浦東にはいまや、ニューヨークに匹敵する摩天楼がひしめき、人口570万人の巨大な新区へと成長した。

続く胡錦濤主席は2009年、北京の外港である天津に、濱海《ひんかい》新区を建設した。だがなぜか習近平主席は、このプロジェクトに「失敗」の烙印《らくいん》を押しているようで、「国家的プロジェクト」にはカウントしていない。

というわけで、習主席は自らが29歳から32歳まで勤務した河北省正定県近くに位置する雄安を、第三の国家的新区プロジェクトに選んだのだった。崇拝する毛沢東主席が北京入城前の1948年5月から本拠地に定め、いまは「全国五大革命聖地」の一つに指定されている西柏坡《せいはくは》にほど近いということもあったのかもしれない。ともあれここから、「現代の阿房宮」造りが始まった。

それから1年半後、2018年8月に、私はこの第二首都の巨大な工事現場を訪れた。おそらく外国人としては、ほとんど初めてだったと思う。

「千年大計　国家大事」――入り口に8文字の巨大看板が掲げられた外側は農地で、「拖拉《トラ》機《ジ》」（トラクター）が、ガタピシと音を立てていた。計画によれば、短期プロジェクトとして１００㎢、中期プロジェクトとして２００㎢、長期プロジェクトとして２０００㎢を開発する。最終的には東京ドーム４２００個分もの広さとなり、まさに「国家千年の大計」だ。

だが私が訪れた時は、容城《ようじょう》という場所にある「市民サービスセンター地区」だけが完成していた。いわば東京ドーム5個分の「雄安モデルルーム」だ。

入り口の駐車場でガソリン車から降ろされた。内部はＥＶ（電気自動車）でないと入れない。環境対策への重視を前面に謳《うた》っているためだ。

敷地の中へ入ると、通りの両側に植わっているすべての街路樹に「ＢＡＥ２９５４」などと番号が入ったバーコードが取り付けられていた。通りの名称、責任者名、樹木名と科属、苗木日時、植樹日時の6つの情報をインプットしていて、スマホを翳《かざ》せば確認できる。

雄安は「スポンジ（海綿）都市」のコンセプトを採用しており、メイン道路を歩いていると、コンクリートが柔らかい。雨水や汚水を生活熱源として再生利用できるように、地下に全長３・３㎞のパイプラインを通している。

通りによっては「自動運転車専用道路」になっていて、人間が運転するＥＶも進入できない。そこでは、自動歩行器（電動靴）に乗ったバイドゥ（百度）の専門家たちが、実験を繰り返していた。バイドゥは2017年から「アポロ計画」と名付けた自動運転プロジェクトを進めている。中国内外の135社が参画していて、2023年末までに30都市で3000輌の自動運転車を配備することを短期目標にしている。

雄安は「犯罪ゼロ都市」を目指していて、どこにいても最低4ヵ所から防犯カメラに「見守られて」いる。圧迫感を与えないよう、防犯カメラは壁の白色に同化させているが、「安全」と「監視」は背中合わせなのだと再認識させられる。

1000人以上が働く中心部のオフィス棟へ入ると、ペーパーレス化と自動化が徹底されていた。確かに、デスクワークしている公務員たちの机上には、紙類が見当たらない。オフィス棟の窓は「三重ガラス」で、最新の光学技術による「人に優しい採光」を行っていた。そのため、この日は真夏の灼熱《しゃくねつ》地獄だったが、室内にはほどよい木漏《こも》れ日が入ってくるだけだった。その控えめな陽光が、ピカピカの白い床に反射していた。

公務員たちが住む居住区には、北欧風の環境に優しい4階建てマンション群が連なり、「1＋2＋N」というシステムを採用していた。1は身分証、2は顔認証か声紋認証によるドアの開閉、Nはスマホを使って一元的に管理していくということだ。特に、家のドアの前のカメラが自動的に住人の顔を識別したり、「我回来了《ウォーフイライラ》！」（ただいま）という声を識別したりしてドアを開けるシステムは斬新《ざんしん》だ。

居住区に隣接した商店街には、「無人超市《ウーレンチャオシー》」（無人スーパー）が開いていた。レジ台もなく、客は欲しい商品にスマホを翳して、自分のカバンに入れていく。出口で再びスマホを翳せば、自動的に決済されるシステムだ。

雄安の東側には、琵琶湖の約半分の面積を擁《よう》する湖・白洋淀《はくようてん》が、滔々《とうとう》と水を湛《たた》えていた。汚染されて水面が濁っていたが、今後、中国最良の水質に改善していくという。

こうして一日かけて「第二首都」を見学し、「カミ（紙）・カギ（鍵）・カネ（金）」の「三つのカ」がない近未来都市を堪能《たんのう》した。

だが私の最大の疑問は、海のない経済特区が果たして発展していくのかということだった。率直にその疑問を雄安の職員にぶつけると、濁った湖を眺めながらけむに巻いた。

「何たって（習近平）総書記の千年大計ですからね。1000年経ってみないと分かりませんよ」

それから4年余りが経ち、中国最先端のスマートシティの建設は進んだ。北京から雄安に至る高速道路や高速鉄道が開通し、北京の著名大学、病院、国有企業などの尻を叩いて、拠点を築かせた。いまも日々、巨大工事が続いている。

思えば、始皇帝を尊敬していたのが毛沢東主席で、毛主席を尊敬するのが習主席。「習近平の阿房宮」は成功するだろうか？

白衛兵《バイウェイビン》

「痩《や》せ死んだラクダでも馬より大きい」（痩死的駱《ショウスーダルオ》駝比馬大《トビーマーダー》）という中国の諺《ことわざ》がある。日本語で類語を探すなら、「腐っても鯛《たい》」。

「建国の父」毛沢東主席（１８９３年～１９７６年）の生涯、特にその晩年を振り返る時、いつもこの諺が脳裏を掠《かす》める。艱難辛苦《かんなんしんく》の末に中国共産党内部の権力闘争と、国民党との内戦に勝利した毛沢東主席は、１９４９年10月1日午後3時、晴れて北京故宮前の天安門の楼台に上がって、中華人民共和国の建国を宣言した。

ここから毛主席は一歩一歩、敬愛するソ連のヨシフ・スターリン書記長を見習って「理想の社会主義国造り」を目指した。それは一言で言えば、「自分以外は国民誰もが平等で、国民は等しく自分だけを敬愛し、かつ農業と工業が発展する」という社会だった。スターリン書記長が、１９３０年代前半にソ連で同じことをやって、数百万人の餓死者を出した

が、そんなことはお構いなしだった。

こうした毛主席の方針は、建国10年目の1958年、前述のように「大躍進」となって結実する。農村に「人民公社」を設立して農業を集団化し、工業は「15年でイギリスの鉄鋼生産量に追いつく」と宣言した。

だが、すぐに経済は破綻し、翌年から未曽有の「三年大飢饉」に陥った。餓死者は4000万人とも言われ、第二次世界大戦の世界全体の死者数に近い。この時期を何とか乗り切った中国人は、高齢になったいまでも「悪夢の記憶」が抜けない。

1962年の年初から、この失策を総括する「七千人大会」（党中央拡大工作会議）が、北京の人民大会堂で開かれた。この時、毛沢東主席は、生涯ただ一度の「自己批判」を、幹部たちの面前で強いられた。

この大会を契機として、中国共産党の実権は、劉少奇《りゅうしょうき》国家主席、鄧小平副首相ら実務派に移っていった。同時に、毛沢東主席には「過去の人」というレッテルが貼られた。

だがどっこい、「古稀《こき》を過ぎたラクダ」は生きていた。「革命を継続せよ！」と唱えて文化大革命を起こし、一発逆転を果たすのである。

1966年5月、北京の名門・清華大学附属中学（日本の中学・高校一貫校に相当）に「紅衛兵《こうえいへい》」が結成された。紅色の腕章をつけた生徒たちは、毛沢東主席を崇拝し、『毛主席語録』だけに忠実だった。そして周囲の高位の大人たちに、「黒五類《こくごるい》」（地主・富農・反革命分子・悪質分子・右派分子）のレッテルを貼って、ヒステリックに批判していった。

毛主席は「造反有理《ぞうはんゆうり》」（造反には理がある）として、紅衛兵に拍手喝采《かっさい》である。同年8月から11月にかけて、天安門広場などで計8回も謁見《えっけん》に応じた。

この運動は瞬《また》く間に全国に広がり、各地で結成された紅衛兵は、文化大革命の主役になった。換言すれば、中国全土が無法地帯と化したのである。

紅衛兵が当初、糾弾《きゅうだん》したのは、学校長とか工場長といった「周囲の身近な権力者」たちだった。だが毛主席は、「司令部を砲撃せよ！」と煽《あお》り、さらに上層部の糾弾を求めた。

その結果、紅衛兵たちの行動は次第にエスカレートしていき、その攻撃対象は共産党幹部たちにまで及んだ。彭真《ほうしん》北京市長を吊《つ》るし上げ、鄧小平副首相を農村に追いやり、最後は劉少奇国家主席を軟禁してしまった。国家主席を解任された劉少奇氏は、１９６９年11月に、移送先の河南省開封《かいほう》で獄死してしまう。

いまになって振り返れば、文化大革命とは、実権を失って形だけの共産党主席と化した毛沢東氏が、実務派の劉少奇国家主席らを追い落とした権力闘争だった。紅衛兵はそのための道具として利用されたのである。

その後、１９７６年9月に、毛主席が82歳で死去したことで、ようやく文化大革命は終息。紅衛兵も雲散霧消《うんさんむしょう》した。

数年前、私は北京で紅衛兵のリーダーだったという女性に話を聞いたことがある。もう白髪交じりだったが、北京市内の家具屋で働いていた。

「あの頃は、自分がまるで毛主席の娘に選ばれたみたいな気がして、毛主席の説く革命を遂行し、平等社会を建設するのだという理想に燃えていたわ。確かに若気の至りだったけど、いまでも毛主席のことは尊敬している」

彼女はそう言って、お守りにしている毛主席のキーホルダーを見せてくれた。そして、こうも述べた。

「毛主席が死去した後、鄧小平が出てきたけど、毛主席に較べたら小粒な指導者だった。その後の江沢民とか胡錦濤なんか、話にならない。それがようやく、往年の毛主席を髣髴《ほうふつ》させる習近平主席が登場した。だから習主席には、ものすごく期待している」

習主席はたしかに、「紅衛兵世代」にファンが多い。前述のように中国共産党関係者の話によれば、「習主席は毛主席を崇拝しており、一から十まで毛主席を模倣《もほう》している」そうである。

そんな「現代版毛沢東」は、２０２０年に新型コロナウイルスが蔓延して以降、検査と隔離を徹底させる「ゼロコロナ政策」（動態清零《ドンタイチンリン》）を貫いた。２０２２年に流行したオミクロン株は、感染力が強く重症化しにくいため、「『コロナとの共存』が望ましい」とWHO（世界保健機関）も説いたが、中国だけは馬耳東風《ばじとうふう》である。

3月28日からは、ついに中国最大の経済都市・上海で、「封城《フェンチェン》」（ロックダウン）が実施された。まず東部地域で行い、4月1日から西部地域も組み込まれた。

当初は4日間だけという約束で、2500万上海市民も従ったが、結局、5月31日まで丸2ヵ月に及んだ。2020年1月から4月まで、中国（世界）で初めて武漢で行われた「封城」は76日間に及んだが、その時に次ぐ長さだった。

しかし2020年の武漢と、2022年の上海には、決定的な違いがあった。武漢では、全国から集まったボランティアの医師や看護師たちは「白衣の天使」と崇《あが》められ、医療スタッフや市政府職員たちと900万市民とが一体になって対処した。武漢の誰にとっても、コロナウイルスこそが「共通の敵」だった。

ところが2022年の上海では、市民と、公安（警察）を含む市政府職員とが、完全に敵対関係に陥った。市民が外出するのを阻止するため、市政府側はバリケードやフェンスを張った。甚《はなは》だしきはマンション出入り口の扉を、突貫工事で塞いでしまったのである。

公安や市政府の職員たちは皆、白い防護服を着ていたので、上海市民は彼らを「白衛兵」と呼んだ。

「白衛兵」という言葉を初めて「微信《ウェイシン》」上で目にした時、上海人のブラックユーモアのセンスたるや、ピカ一だと感心した。そこには、白い防護服姿の公安の面々が、PCR検査の列に並びながら大声を張り上げて文句を言う中年女性を羽交い締めにしている写真が添えられていた。

上海人の友人は、「白衛兵」の生々しい様子を証言した。

「自宅マンションの私が住む階を、一斉消毒すると言って、白衛兵たちはずかずかと部屋に上がり込んできた。そして所構わず、部屋中に消毒スプレーを放射しまくったのだ。それによって娘の高価なグランドピアノは使い物にならなくなり、オークションで手に入れた油絵も真っ白にされた。もちろん誰も補償なんかしてくれない。

同居している高齢の父は、『生きている間に紅衛兵が再び自宅に押し入ってくるとは思わなかった』と言う。それで私が、『いま現れたのは白衛兵と言うんだ』と教えてあげたら、きょとんとしていた」

白衛兵はマスクなどで顔を覆《おお》っているので、どんな暴挙に及んでも個人が特定されることはない。そのくせ市民が抵抗すると、マスクをしていても顔認証ができる最新ビデオで撮影し、ひっ捕らえていく。

習近平新時代の白衛兵、恐るべしである。

第3章　「皇帝」習近平を悩ますもの

動態清零《ドンタイチンリン》

日本では毎年年末になると、「新語・流行語大賞」が発表される。２０２１年は、米大リーグでの大谷翔平《しょうへい》選手（投手）の活躍を指す「リアル二刀流／ショータイム」が選ばれた。

中国でも「流行語ベストテン」は、国営メディアやネットメディアなどが各々行っているが、日本のように国民的行事にはなっていない。それはやはり、「共産党が国民を指導する」中国にあっては、流行語も「共産党が創って国民に流布する」という意味合いが強いからだろう。共産党がスローガンを定めて毎日朝から晩まで官製メディアを使って宣伝すれば、それは自ずと「官製流行語」になるのだ。

こうした事情を踏まえて、２０２２年の「官製流行語大賞」を選ぶとしたら、間違いなく「動態清零」だろう。同年9月にバイドゥでこの語を検索したら、４５３０万件もヒットした。「動態」とは、ダイナミック。「清零」は、ゼロに清める。すなわち習近平主席が

固執した「ゼロコロナ政策」のことだ。

周知のように新型コロナウイルスは、2019年暮れに世界で初めて中国湖北省の省都・武漢でパンデミックが起こった。習近平政権は2020年の春節(旧正月)2日前の1月23日から、76日間にわたって武漢に「封城《フェンチェン》」の措置を取った。いわゆるロックダウンだ。

その過酷な様子は、武漢在住の著名作家・方方《ほうほう》(元湖北省作家協会主席)が『武漢日記』(邦訳は河出書房新社、2020年)に記した通りだ。この中国初の「封城」は、「いざという時は900万武漢市民を見殺しにしても、14億中国人が生き残る」ことを決断した措置だった。日本では考えられないような強硬措置だったが、「新規感染者が2週間連続ゼロになったら『封城』を解く」というかねての約束通り、同年4月8日に武漢は「解放」された。900万市民は一斉に外に飛び出し、花火を打ち上げたり、スマホのライトをきらめかせたりして喜びを分かち合った。

この武漢の「封城」は、習近平政権にとって大きな成功体験となった。中国は集中的かつ徹底的にコロナを封じ込めたおかげで、その後急速な「復工復産《フーゴンフーチャン》」(仕事と生産の復活)を果たしたのだ。同年のGDP成長率は2・3%に達した。G20(主要国・地域)の中で唯一のプラス成長だった。

それから2年を経た2022年、コロナウイルスは、アルファ株→ベータ株→ガンマ株

→デルタ株、そしてオミクロン株へと変異していた。オミクロン株の特徴は、より容易に感染する代わりに、重症化リスクが低いことだった。欧米では「もはやただのカゼでしょう」と言って、マスク着用さえ止めてしまった。

そんな中で中国だけは、「動態清零」に固執し続けた。2022年3月17日、習近平総書記は党中央政治局常務委員会議を招集し、強調した。

「国民第一、生命第一を終始堅持し、科学的精確さと『動態清零』を堅持するのだ。それによってウイルスが急速に拡散、蔓延していく勢いを食い止めるのだ」

こうして中国全土で、少しでもコロナ患者が出たら、その町を「封城」するという極端な「動態清零」が取られるようになった。習総書記の「親臣《チンチェン》」(側近の部下)楼陽生《ろうようせい》党委書記が治める河南省などは、許昌《きょしょう》市に住む20代の女性一人が感染したとして、その地域に住む70万人を「封城」してしまった。

最も悲惨だったのは、前述のように中国最大の経済都市・上海だ。こちらも習近平総書記の浙江省党委書記時代の「親臣」李強《りきょう》党委書記が治めていた。

4月、5月と「封城」した上海は、2年前の「武漢の再来」だった。だが当時の武漢では、公式発表だけで3869人もの人々がバタバタと死んでいたが、上海で流行っていたのは、欧米人が「カゼのようなもの」と楽観視するオミクロン株だ。それなのに武漢方式の措置を取ることは、中国で最も合理的思考をする2500万上海市民にとって、耐えがたいことだった。

4月11日には、封鎖したマンション群を視察に訪れた李強党委書記を、上海市民たちが罵《ば》倒《とう》するという衝撃的な映像が、SNS上にアップされた。これによって、次期首相候補に名前が挙がっていた李書記が失脚したという噂も、一時は上海を駆け巡った。

習近平主席は、「女傑」孫春蘭《そんしゅんらん》副首相を上海に派遣した。孫副首相は1ヵ月以上、上海にとどまり、「『動態清零』の徹底」を命じた。

だが中国国内で、「封城」による経済への悪影響は甚大だった。ただでさえ2年以上続くコロナ禍で、中国経済はガタガタなのに、泣きっ面に蜂だった。同年第2四半期の経済成長率は0・4％まで落ち込み、上海に至ってはマイナス13・7％を記録した。

私は同年5月、「動態清零」を強《し》いられている上海人の友人を励まそうと、電話してみた。彼は半ば苛立《いらだ》っていたが、「かつてないほどヒマ」とのことで、饒舌《じょうぜつ》だった。

「いまや自宅に閉じ込められているわれわれの食糧調達方法は、週1～2回のわずかな供給を除けば、スマホのアプリで出前を頼むしかない。そのため毎日朝から、スマホを叩き続けている。その際、役に立つのが電動マッサージ器だ。他人より0・1秒でも素早くタッチするために、スマホ画面に電動マッサージ器を押し当てるのさ（笑）。

上海人にとって何よりショックだったのは、4月の市内の自動車販売台数が、ゼロ台だったことだ。こんなことは1949年の建国以来なく、「汽車清零《チーチャーチンリン》」（ゼロカー）だ。

ただ一つだけよかったと思うのは、飽食世代の息子が、生まれて初めて『飢える』という体験をしたことだ。幼少期に文化大革命を経験した私の世代と違って、息子はこれまで、食事というのはレストランで食べるか、スマホで30分以内に出前を届けてもらうものと思っていた。それが今回の事態で、少しはたくましくなったのではと思う。

いずれにしても、いま上海では『一比十四億《イービーシースーイー》』（一人対14億人）という隠語が流行っている。この国では14億人の国民が反対しても、たった一人の『皇帝様』が賛成すれば、政策は遂行されるということだ」

6月25日、李強書記は共産党第11期上海市委員会第12回代表大会を招集し、こう述べた。

「われわれは習近平総書記の重要指示と党中央が決定した政策、配備を決然と貫徹した。『動態清零』の成果を社会に見せつけ、大上海の保衛戦における勝利を実現したのだ」

私は他にも何人もの中国人に聞いたが、「動態清零」の賛同者は皆無だった。

これほど内外で反対されているにもかかわらず、習近平主席はなぜ「動態清零」に固執したのだろうか？

中国人が挙げた理由はまちまちだった。「共産党の権威を保つためさ」「2年前の武漢での成功体験があったからだ」「中国製のコロナワクチンはオミクロン株に効果が確認できないからだ」「習主席はああ見えて潔癖症なのさ」……。

その中で、私が最も説得力を持つと思ったのは、次の回答だった。

「習近平主席はコロナウイルスを、まるで台湾独立派分子か新疆《しんきょう》ウイグル自治区独立派分子のように認識している。そのため、台湾独立派や新疆ウイグル自治区独立派との『共存』があり得ないように、『コロナとの共存』もあり得ないのだ。

習主席がいかにコロナウイルスを嫌悪しているか。国内のどこかを視察したり、演説したりする際には、その40分前に部屋からマイクまで徹底的に消毒される。国外へは、コロナを嫌って２０２０年１月にミャンマーへ外遊して以来、２０２２年９月にカザフスタンとウズベキスタンを訪問するまで、２年８ヵ月も出なかった」

米ＣＮＮは９月６日、「８月20日以来、少なくとも74都市（人口合計３億１３００万人）で市全域や地区を対象とするロックダウンが実施された」と報じた。その理由については、「10月16日に始まる第20回党大会は中国共産党と習主席個人の功績をたたえる場であり、大規模な流行が起きればそのイメージに傷がつきかねない」とした。地方幹部たちも、赴任先の経済活性化よりも、より厳格に順守して自らが党大会で出世する道を選んだのである。

「上梁不正下梁歪《シャンリアンブージェンシアリアンワイ》」（上梁が正しくないと下梁は歪む）。中国は「砂上の楼閣」と化す？

新能源人《シンナンユエンレン》

何やら分かりそうで分からない4文字。いったいどんな人？　ヒントは、「PCR＋EV」。ますます分からなくなった？

2020年に世界中で新型コロナウイルスの感染爆発が起こった時、中国政府は「不漏一戸《ブーロウイーフー》、不落一人《ブーラーイーレン》」（ひと家庭も漏らさず、一人も見落とさない）というスローガンを掲げて、勇ましい対応を見せた。前述のように「動態清零《ドンタイチンリン》」と呼ばれる「ゼロコロナ政策」だ。

「動態清零」は、徹底した「検査」と「隔離」から成っている。大量の母体の「核酸検測《フースアンジエンツー》」（PCR検査）を行い、新型コロナウイルスの陽性者を篩《ふるい》にかけていく。そして陽性者を、自宅や宿泊施設などに隔離して、非感染者と接触させないというやり方だ。

その際、どうやって14億人以上もの国民を、整然と検査し、隔離していくかという問題

に直面した。

そこで活躍したのが、中国を代表する民営IT企業のアリババとテンセントだった。この2社は「健康碼《ジエンカンマー》」（健康コード）と呼ばれるスマートフォンのアプリを開発したのだ。他の携帯電話会社なども、追随して同様のアプリを開発した。

健康コードは、スマホ決済システムのアリペイ（支付宝《ジーフーバオ》）やウィーチャットペイ（微信支付《ウェイシンジーフー》）のアプリからインストールする。まず自身の身分証番号と健康状態、履歴などを入力していく。するとアプリに搭載されたAI（人工知能）が、位置情報を始め、様々なデータベースの情報と照合し、その人の「感染リスク」を判断。「緑」「黄」「赤」の3色のいずれかの二次元コードが、スマホに表示されるのだ。

「緑」は「感染リスクなし」、「赤」は「要隔離もしくは隔離中」、そして「黄」は「濃厚接触者で要検査」を意味する。「赤」と「黄」はリスクが消えたら、晴れて「緑」に戻る。

もしも「黄」の表示が出たら、スマホに表示された手順に従って申告し、PCR検査を受ける。検査は義務ではないが、受けないと日常生活が送れなくなる。

地下鉄やバスなどの公共交通機関に乗れないし、スーパーやコンビニ、レストランにも入れない。そもそも囲いがあるマンション群などに住んでいる場合、検査以外の目的で、マンションの敷地の外に出られなくなる。

最初に健康コードの導入を発表したのは、アリババだった。中国政府が湖北省武漢の900万人を「封城《フェンチエン》」（ロックダウン）して半月あまり経った2020年2月11日、本社のある浙江省《せっこうしょう》杭州《こうしゅう》で会見を開いた。

「いまから2週間以内に、健康コードのシステムを、全国200都市に拡大していく。地下鉄、社区（各居民区域）、オフィスビル、医療機関、商業施設、スーパー、空港、駅などに、読み取り機を設置していく」

ライバルのテンセントも同様のシステムを始め、3月5日には早くも、健康コードの登録者が、全国で8億人を突破したと発表した。こうして、わずか1ヵ月の間に、健康コードは中国全土に普及していったのだ。

健康コードの制度が始まった当初、北京の友人に聞いたら、「まるで自分の身体に信号機を取りつけられたみたいだ」とこぼしていた。だがしばらくすると、「これは『第二の身分証』で、『緑』であれば誰もが安心して外へ出られるので便利」と評価するようになった。

その頃、私が住む東京では、小池百合子都知事が、「『3密』を避けましょう」と呼びかけていた。こうした呼びかけは、1918年に「スペイン風邪」（新型インフルエンザ）が大流行した際にも、当時の東京市で行っていた。つまり日本の対応は「百年一日《いちじつ》」の如《ごと》しで、最新のIT技術を駆使する中国から、はるかに遅れてしまったのである。

中国はこうして「復工復産」（仕事と生産の復活）を進め、経済のV字回復を果たした。

ところが、それから2年が経ち、２０２２年になると、それまで中国が誇ってきた「動態清零」は、足枷《あしかせ》になってきた。習近平政権は「動態清零」に固執したため、経済の急速な悪化を招いた。

個々の中国人にしてみれば、こうした経済悪化のストレスに加えて、ようやく「封城」が解除されても、「ＰＣＲ検査地獄」が待っている。多くのスーパーやレストランなどでは、客の中に一人でも陽性者が出たら「封店《フェンディエン》」（店の封鎖）を喰らうので、「72時間以内のＰＣＲ検査の陰性証明がないと入店不可」とした。列車や飛行機なども同様だ。そのため一般市民が、毎週３回もＰＣＲ検査を受けさせられる羽目に陥《おちい》ったのである。

中国の厚生労働省にあたる国家衛生健康委員会は２０２２年5月、過去2年半近くで、累計92億１４００万回ものＰＣＲ検査を行ったと発表した。全国の検査機関は1万２５００ヵ所で、検査員は14万４７００人。市場規模は１００億元（約２０００億円）に達するという。中国で多くの産業が沈滞する中で、数少ない成長産業となっているのだ。

だがこれだけ「にわか産業」となって勃興《ぼっこう》すると、当然ながら悪徳業者もはびこってくる。

同年5月21日、北京市が行った３４１回目の「コロナ会見」で、いかつい顔をした潘緒《はんちょ》宏《こう》公安（警察）局副局長が突然着席し、マイクを握った。

「北京朴石《ぼくせき》医学検査実験室の問題に関して、衛生健康部門はすでに、この実験室の『医療機構事業従事許可証』を取り消した。かつ市場監督管理部門が立件調査を始めた。衛生保健部門から移送された案件の線に沿って、われわれ公安機関は、伝染病防止妨害罪の容疑で、立件捜査を始めた……」

糾弾《きゅうだん》された朴石実験室は「にわか業者」の一つで、2020年11月に設立。2022年2月から4月にかけて、北京市房山《ぼうざん》区でPCR検査を行う3社の一角に食い込んだ。房山区は北京市の南西部に位置し、人口は約130万人だ。

ところがこの実験室は、約20万人分の検査をでっちあげていたことが発覚したのだ。実際には検査をせずに、検査費用を北京市からせしめれば、「濡《ぬ》れ手で粟《あわ》」というものだ。

事態を重く見た中国政府は、「検査機関を検査する機関を作る」と発表。全国的な調査を始めたが、各地で同様の手口の業者が摘発された。さらには、北京市衛生健康委員会のトップである于魯明《うろめい》主任までもが、業者などから多額の賄賂を受け取った疑いで、同年5月25日に解任され、逮捕されてしまった。

「PCRバブル」にかこつけて一連の不正を働いた人々に、中国人は怒りの声を上げるかと思いきや、それほどでもなかった。「そもそも政府が市民を検査漬けにすること自体に問題がある」と呆れていたからだ。

例えば、同年8月17日、福建省アモイ市海滄《かいそう》区の新型コロナウイルス応対活動指揮部は、次のような通知を発令した。

〈漁民は（漁業の）作業期間中、毎日1度ずつPCR検査を行う。漁民と漁獲物は岸へ上陸後、直ちに指定のPCR検査場に赴《おもむ》くこと。そこで「人＋物」を同時に検査する〉

こうして、世界でも類を見ない「魚のPCR検査」が始まった。漁民が自分の釣った魚の口を一匹一匹開けて、検査のストローを差し込む衝撃的な映像が、「抖音《ドウイン》」（中国版TikTok）などを通じて拡散した。

こうしたことでにわかに隠れた流行語となった言葉が「新能源人」。政府が普及を進める「電動汽車《ディエンドンチーチャー》」（電気自動車＝EV）、「挿電式混合動力汽車《チャーディエンシーフンフードンリーチーチャー》」（プラグインハイブリッド車＝PHEV）、「燃料電池汽車《ランリアオディエンチーチーチャー》」（燃料電池自動車＝FCV）を、中国ではまとめて「新能源車《シンナンユエンチャー》」（新エネルギー車＝NEV）と呼ぶ。そしていま全国で急ピッチに、「新能源車」の充電ステーションが設置されつつある。

週に何度か充電ステーションへ行って充電が必要な「新能源車」のように、人間も週に何度かPCR検査場へ行って検査が必要な「新能源人」になり果ててしまった――そんな皮肉を込めた新語、いや隠語なのだ。

強権的な社会主義国では、隠語のセンスもピカ一である。

埋頭苦幹《マイトウクーガン》

この項は、今後の中国を担っていく、また場合によっては習近平総書記を悩ます一人の政治家の物語である。

共産党が事実上の一党独裁で国政を運営している中国では、国会というのは、日本などの民主主義国と違って、さほど大きな意味を持たない。実際、中国で国会にあたる全国人民代表大会は、毎年3月5日から1週間ほどしか開かれない。

では全国人民代表大会は、まったく意味がないのかと言えば、そんなこともない。例えば、会期の前後も含めて10日間ほどは、全国31地域の地方幹部たちが、首都・北京に一堂に集結する。各国の大使館にしてみれば、普段は会うこともない地方幹部と「接触」するチャンスなのである。

というわけで、2010年3月、宮本雄二大使率いる北京の日本大使館は、内蒙古《うちもうこ》自治

区の胡春華党委書記（自治区トップ、当時46歳）を、北京・亮馬橋にある日本大使公邸のランチに招待した。

　私はこの時、北京で駐在員をしていて、日本大使館の外交官の知人から、「将来有望な若手政治家は誰と思うか」と聞かれ、真っ先に「胡春華」の名前を挙げた。北京大学の「校友《シアオヨウ》」（同窓生）ということもあるが、中国共産党関係者から、「『革命第六世代』の中心的人物は『革命第四世代』の中心的人物である胡錦濤総書記が、自分の子供のように政治家として手塩にかけて育てた胡春華しかいない」という話を聞いていたからだ。

　そんな経緯もあって、胡春華書記の日本大使公邸訪問の様子を聞かせてもらった。

　日本大使公邸に賓客が訪れる場合、入り口の車寄せで日本の外交官が出迎えて中へ案内する。そこからして、胡春華書記の態度は、他の賓客と異なっていたという。

「公邸の建物に入って直進すると、正面に日中交流に尽くした平山郁夫《いくお》画伯の『黎明《れいめい》　薬師寺』の絵が掛かっています。胡書記はその前で足を止めて、『これはどういう絵ですか？』と質問してきました。賓客が気に留めることなどないので、少々戸惑いましたが、われわれが説明すると、胡書記はいちいち肯《うなず》きながら、『日本は素晴らしい』と言いました。もうこの辺りから、『ただ者ではない』という感じです。

　宮本大使主催のランチは寿司会席でしたが、胡書記は『旨い、旨い』とよく食べて、日本酒もよく飲みました。そして料理などを口にするたびに、『日本のこういうところがすごい』と褒《ほ》めるのです。

同時に、『中国と日本が手を組めば、こんなことができる』と、自らのアイデアを次々に開陳しました。われわれは、『まるで鄧小平の再来のような政治家だ』という印象を持ちました」

この時、日本の外交官は胡書記に、「あなたの座右の銘は何ですか?」と質問している。すると胡書記は、「埋頭苦幹」という成語を口にした。

「埋頭」は文字通り、「頭を埋める」。すなわち、「わき目もふらず何かに没頭する」という意味だ。「苦」は「苦しい」ではなく、「苦労して」「一生懸命に」の意。「幹」は「働く」「担当する」。つまり、「わき目もふらずに仕事に没頭し、一生懸命働く」ということだ。

「埋頭苦幹」はある意味、胡春華という政治家の半生を象徴する言葉でもある——。

胡春華氏は、1963年4月に湖北省・五峰《ごほう》の農家に生まれた。「湖北の神童」と謳《うた》われ、16歳で中国最難関の北京大学中国文学学科に合格。首席で卒業した。

卒業後、14年にわたって「最果ての地」チベット自治区に勤務し、チベット自治区党委書記を務めていた21歳年上の胡錦濤氏に見出された。1997年から4年間の共青団(中国共産主義青年団)本部勤務を経て、2001年から2006年まで、再びチベット勤務。

2006年に上京し、共青団トップの中央書記処第一書記に就任した。

なぜ胡錦濤総書記は長期間にわたって、標高3600m（富士山山頂とほぼ同じ！）のラサに、可愛い胡春華を「氷漬け」にしたのか。前出の共産党関係者が教えてくれた。

「胡錦濤総書記は、自分の権力基盤が固まり、『革命第六世代』の中心に据えようとする胡春華が、『革命第三世代』の中心である江沢民の一派に蹴落とされることがないと見極めるまで、胡春華を北京に戻さなかったのだ。胡春華がチベットにいる限り、江沢民は手を出してこないからだ」

この言葉を聞いて、私は「中南海」の権力闘争のすさまじさの一端に触れた気がした。

だが、胡錦濤政権が北京オリンピックを成功させた2008年、胡春華氏は名前の通り「春の華《はな》」を開かせた。河北省党委副書記を命じられ、翌2009年には、バブル経済に沸く内蒙古自治区党委書記となった。

2012年の第18回共産党大会で習近平氏に総書記をバトンタッチした時、胡錦濤氏は胡春華氏を、党中央政治局委員（トップ25）兼広東省党委書記に据えた。広東省は中国最大の経済力を誇る省であり、かつ北京から2200km も離れた広州に置けば、習近平新総書記に失脚させられるリスクも減らせるという「親心」からだった。実際、「団派」（共青団出身者）の兄貴分である李克強首相が、胡春華広東省党委書記の保護役となった。

それから5年、2017年に第19回共産党大会を迎えた時、胡春華書記が党常務委員（トップ7）に上がれるかどうかが焦点となった。上がれば、次の2022年の第20回共産党大会で、習近平総書記に代わり党総書記（トップ）を射止める道が開けてくる。

この時、胡春華書記を党常務委員に引き上げたくない習近平総書記の方が、先に「勝負」に出た。19回党大会を3ヵ月後に控えた同年7月、胡春華書記と並んで「革命第六世代」のホープと言われていた孫政才《そんせいさい》党中央政治局委員兼重慶市党委書記に「腐敗分子」のレッテルを貼って失脚させ、監獄にぶち込んだのである。いわば「見せしめ人事」だった。

これに震え上がった胡春華書記は、一計を案じた。前出の共産党関係者が語る。

「この事件の直後、胡春華書記は習近平総書記に手紙を書いた。それは、『自分は未熟者だからまだ党常務委員になる資格はなく、地方や農村の仕事に邁進《まいしん》したい』という内容だ。だが一つだけ条件をつけて、『（共産党中央委員会機関紙の）「人民日報」に、この4年数ヵ月の広東省の経済の発展ぶりについて署名で書かせてほしい』と願い出た。習総書記はこれを承諾した」

つまり19回党大会は、胡春華書記の「不戦敗」だったのだ。約束通り『人民日報』（同年8月30日付）で、広東省の経済成長ぶりを綴《つづ》った。そして19回党大会で、習近平総書記は長期政権を示唆する3時間20分に及ぶ大演説をぶち、「革命第六世代」を党常務委員に引き上げなかった。

胡春華氏は翌２０１８年３月、農村担当の副首相に就いた。４人の副首相の３番手だ。

そこからまた４年以上の雌伏《しふく》の時を経て、２０２２年７月27日、「勝負」に出た。『人民日報』の６面に、紙面の５分の３も使った署名記事を寄稿したのだ。自分が担当する「三農」（農業・農村・農民）問題に関する内容だったが、そこには「習近平」が51回！ も登場していた。「習近平総書記の『奥深い知恵と切々たる愛情』に根づいて……」などと述べ、習近平総書記をまるで神のように崇《あが》めているのである。

私はこの長文の記事を精読して、胡春華副首相の意図を理解した。「かつて毛沢東主席に（不動のナンバー２の）周 恩来《しゅうおんらい》首相がいたように、私は習近平主席にとっての『周恩来首相』になります」とアピールしているのだ。

思えば習近平国家主席と李克強首相で２０１３年３月に出帆した政権だが、「両雄」はどこまでも「水と油」だった。そんな中、２０２３年３月に退任する李克強首相に代わって、ぜひ自分を次期首相に選んでほしいということだ。習総書記は自分より10歳若くて才能あふれる胡副首相を警戒していると目されるが、そんな心配は無用だと言いたいのだ。

私は胡春華という政治家を、周恩来首相と鄧小平軍事委主席を足して２で割ったような人物と見ている。胡春華氏が第20回共産党大会で「降格」されたことは残念でならない。

一国両制《イーグオリアンジー》

20世紀の中国に、頗《すこぶ》る英明なリーダーがいた。名を鄧小平《とうしょうへい》（1904年〜1997年）という。

アメリカ最高の東アジア研究者と仰がれたエズラ・ヴォーゲル・ハーバード大名誉教授（1930年〜2020年）は、日本では『ジャパン・アズ・ナンバーワン』などの著作で知られるが、晩年は「どうしても鄧小平を書かないと死ねない」と言っていた。そして遺作として『現代中国の父　鄧小平』（邦訳は日本経済新聞出版社、2013年）を上梓《じょうし》した。

私は最晩年のヴォーゲル教授に、「鄧小平の何があなたをそこまで惹《ひ》きつけたのか？」と問うてみた。すると御大《おんたい》、ニヤッと笑みを浮かべてこう答えた。

「鄧小平は、身長150cmくらいの小男だが、政治、軍事、経済、外交、地方などあらゆる分野でトップに立ち、抜群の実績を上げてきた。そして政策は大胆だが、誰も反対できないよう細心の注意を払って実行していった。これほど気宇壮大な構想を持った政治家は、欧米にも存在しない。鄧小平は間違いなく、20世紀最高の政治家だ」

まさにベタぼめだった。そんな鄧小平氏の「気宇壮大な構想」の一つが、「一国両制」である。日本語では「一国二制度」と訳している。

「一国二制度」と言うと、香港を思い起こす方が多いだろう。だがもともとは、鄧小平氏が台湾統一のために「発明」した制度だった。

1981年6月、鄧小平副首相は党中央軍事委員会主席に就任し、人民解放軍を完全掌握した。そして同年9月、「盟友」葉剣英《ようけんえい》全国人民代表大会常務委員長（国会議長に相当）の名で、台湾に向けて統一のための「9項目提案」を行った。その中に「統一後の特別行政区設定」と「台湾の制度の不変」が含まれていた。これが「一国両制」の雛型《ひながた》である。

台湾（中華民国）は、日本やアメリカと同じ資本主義で、中国式の社会主義を嫌悪していた。それならば、社会主義の中に資本主義があってもいいではないかと、鄧氏は主張したのだ。さすがはゴリゴリの社会主義体制の中で、「黒い猫でも白い猫でもネズミを捕る猫はよい猫だ」（不管黑猫白猫，捉到老鼠就是好猫）と言い放った男である。

当時の中華民国総統は、かつてモスクワの中山大学（ソ連のコミンテルン＝共産主義インターナショナルが中国人に共産主義を教育するために創設した大学）で鄧小平氏と同級生だった蔣経国《しょうけいこく》（蔣介石《しょうかいせき》総統の長男）氏だった。二人は青年時代に親友だったので、鄧氏は「一国両制」という「奥の手」を持ち出せば、台湾側も乗ってくるのではと期待したのだ。

ところが蔣経国総統は、「鄧提案」を完全無視した。それでも鄧氏は諦《あきら》めない。「それならば『一国両制』の成功例を台湾の隣に作って、見せてあげよう」と考えたのだ。

当時、中国はイギリスと、香港返還を巡って激しい外交戦を繰り広げていた。1840～'42年のアヘン戦争に敗れた清国（中国）は、南京条約で香港島をイギリスに割譲した。1860年には北京条約で九龍半島を割譲。さらに1898年には新界租借条約で新界を99年間租借した。イギリスはさすがに国際社会の目があって、「割譲」を要求しなかったが、「99年間の租借」は「割譲」と、ほとんど同意と捉えていただろう。

だが「約束の99年」が終わりかけた時、中国の最高指導者は「20世紀最高の政治家」とヴォーゲル教授がお墨付きを与えた鄧小平氏だった。1984年12月、イギリスのマーガレット・サッチャー首相との中英首脳会談に臨んだ鄧氏は、痰唾《たんつば》を吐き散らしながら凄《すご》んだ。

「租借期限が切れる1997年7月1日、新界だけでなく、香港島と九龍半島も、きっちり中国に返還してもらう。もしイギリスが拒否するなら、この時刻をもって人民解放軍を派遣し、武力によって返還を実現する」

これには、フォークランド紛争でアルゼンチンから領土を奪って名を馳せていた「鉄の女」も参ってしまった。そこで「香港人は誰も社会主義を望んでいない」と抵抗した。すると鄧氏は、こうダメ押ししたのだった。

「中国に返還しても、香港の資本主義は50年変えない。これでよかろう」

こうして「香港の憲法」こと香港基本法が制定され、第5条で「50年不変」を謳《うた》った。

1997年夏の香港返還という「世紀のイベント」は、私も力を入れて取材していた。あいにく前日の夜から、現地は大雨が降っていた。香港人に笑顔はなく、「これは私たちの涙です」と言っていた。返還を機に、富裕層を中心に約30万人が香港を離れた。

7月1日午前0時、新界の山側で轟音《ごうおん》が鳴り響いた。広東省深圳《しんせん》から人民解放軍が乗り込んできたのだ。統治体制が変わるとは軍隊が入ってくることなのだと、この時知った。

鄧小平氏はその5ヵ月前に92歳で死去しており、完成したばかりの香港コンベンション&エキシビションセンターで挙行された返還記念式典は、江沢民主席が主賓だった。

香港は返還後も、紆余曲折《うよきょくせつ》あった。そして「50年不変」の折り返し地点にあたる2022年7月1日、同じ会場で開かれた返還25周年記念式典の主賓は、習近平主席だった。

習主席は、「一国両制」を恣《ほしいまま》に換骨奪胎《かんこつだったい》していく指導者として、730万香港人に畏《おそ》れられている。

前任の胡錦濤政権は2007年、「10年後の普通選挙」を約束した。ところが2014年8月、習政権は真逆の方針を発表。これに怒った香港の若者たちは、79日間にわたって

「雨傘《あまがさ》運動」と呼ぶ抗議活動を展開したが、最後は警察に蹴散らされてしまった。

2019年6月からは、最大200万人もの香港市民がデモを行い、「五大訴求、欠一不可」（五大要求の一つも欠けてはならない）をスローガンにした。五大要求とは、容疑者を中国大陸へ連行できる逃亡犯条例改正の撤回、デモを「暴動」とする香港政府見解の撤回、警察の暴力に対する独立調査委員会の設置、逮捕・拘束されたデモ参加者の即時釈放、そして行政長官（香港トップ）と立法会（議会）の普通選挙実施である。だが香港警察は、半年間で6000人以上の市民を拘束し、1万発以上の催涙弾を撃ち込んでデモを鎮圧した。

2020年に入ると、習近平政権が逆襲に出た。3月に新型コロナウイルス防止対策を口実に、「集会制限令」（5人以上の集会禁止）を発令し、6月には香港国家安全維持法（国安法）を制定した。

6章66条からなる国安法は、習近平政権に逆らう香港人を最高で無期懲役刑に科すという衝撃の法律で、香港人は「火星法」と揶揄《やゆ》した。火星で火星人が習主席の悪口を言っても有罪となるような条項（38条）が含まれていたからだ。

国安法の制定を機に、「自由都市」香港の雰囲気は一変した。翌2021年3月に北京の全国人民代表大会（国会に相当）は、従来の「港人治港《ガンレンジーガン》」（香港人が香港を治める）を「愛国者治港《アイグオジャジーガン》」（愛国者が香港を治める）に書き換えた。6月には反中的な『蘋果日報《リンゴ》』を廃刊にし、幹部たちを投獄。12月の立法会選挙では、「愛国者認定」をした候補者だけを出馬させ、90議席全員を「親中派」（建制派）に替えてしまったのである。

そして極めつけは、2022年5月8日の行政長官選挙だった。習主席の「忠臣」で、2019年のデモ弾圧の責任者だった香港警察出身の李家超《りかちょう》（ジョン・リー）氏が唯一の候補者となり、「愛国者」で固められた選挙推薦人1500人の投票者の99・2％の票を得て当選したのだ。李家超新長官に香港人が付けたニックネームは、「香港のプーチン」。

7月1日、新行政長官の任命を受けて壇上で平身低頭する「香港のプーチン」を前に、習主席は皇帝然とした構えで、30分を超える「重要講話」を述べた。演説で「一国両制」を20回も連発したが、よく聴くと「一国」の発音を強調していた。

習近平政権のスローガンは「中華民族の偉大なる復興という中国の夢の実現」（略して「中国の夢」）で、「偉大なる復興」とは、前述のようにアヘン戦争と日清戦争前の状態に戻すということだ。そのため「グレーターベイエリア」（粤港澳大湾区《ユエガンアオダーワンチュイ》）という広東省・香港・マカオ一体化構想を推進している。

だが「国安法」に恐れをなした香港人は、富裕層を中心に、すでに10万人以上が脱出。台湾人の間では「香港式の『一国二制度』などまっぴら御免」との共通認識ができた。

「一国二制度の父」は、草葉の陰で何を想うだろう。

三孩政策《サンハイジェンツー》

「建国の父」毛沢東主席が１９７６年に死去した後、最高権力者となった鄧小平氏は、不屈の精神で「改革開放政策」を推し進めた。文化大革命によって「アジア最貧国」と化した中国は、鄧小平氏の指導力により、アジア最強の経済大国への道を邁進《まいしん》していった。

鄧小平氏が英明なリーダーであったことは、前項で述べた通りだが、実は二つばかり「失策」を犯している。

一つは、１９８９年６月４日の天安門事件だ。前述のように鄧小平氏の命令一下、人民解放軍の戦車部隊を北京に突入させた。

鄧小平氏が犯したもう一つの「失策」が、長年にわたる「一人っ子政策」だ。中国語では「計画生育《ジーホアシェンユイ》」と呼ぶ。

鄧小平氏自身には、５人も子供がいた。それにもかかわらず、１９４９年の新中国建国

後に、毛沢東主席が「産めよ、増やせよ」のスローガンを掲げると、一人だけ強硬に反対した。副首相兼財政相だった1953年には、「避妊及び人工流産弁法」を発令し、必死に人口増加を食い止めようとした。

「わが国は毎年1500万人も人口が増加しており、このままでは健全な経済発展ができなくなる」

鄧小平副首相の主張は明快だった。100個のイモを100人で分ければ一人1個だが、500人で分ければ5分の1個になるというのだ。

中国では春秋戦国の古代から、「人口はまさに財富である」(人口就是財富)とされ、「人口が増加する国は必ず強くなり、戸籍が減る時に国は即ち衰退する」(人口増者国必強、戸籍減時国則衰)と言われた。人口が増えれば、租税と兵役を増やせるからだ。そのため戸籍制度を定め、国民に名前を付けた。そこから漢字が全国に普及していった。

古代からこうした常識が続いてきたため、鄧氏の持論に耳を貸す幹部はおらず、人口は建国時の約5億4000万人から、着実に増えていった。出生数がピーク時の1960年代には、年間2500万人を超える赤ん坊が産声《うぶごえ》を上げた。

ところが毛沢東主席が死去し、その2年後に中国共産党を完全掌握すると、鄧氏はかねてからの持論を実行に移していく。

1981年3月、国家計画生育委員会という中央官庁を新設。全国で10万人を超える公務員が、「一人っ子政策」の推進に従事するようになった。

翌1982年9月に開いた第12回中国共産党大会で、「一人っ子政策」を党の指針に定めた。その3ヵ月後に施行した新憲法では、第25条でこう定めてしまった。

〈国家は一人っ子政策を推進実行し、人口の増加を、経済及び社会の発展計画に適応したものにする〉

夫婦が産む子供の数を憲法で定めてしまった国など、世界広しといえども中国だけだろう。まさに鄧小平氏の執念と言えた。

このため、1980年代以降に生まれた中国人は、ほとんどすべて一人っ子となった。私の友人知人の中に、ごくたまに二人きょうだいという人がいるが、それは少数民族だったり、多額の罰金を払って産んだケースだ。

「一人っ子政策」は当初、改革開放政策とあいまって、プラス面ばかりが強調された。だが1997年に鄧小平氏が死去し、21世紀に入ると、そのひずみが指摘されるようになった。

例えば、前述のように「四二一家庭《スーアルイージアティン》」という言葉が流行語になった。両親とその両親(4人の祖父母)が、一人の子供を育てる家庭という意味だ。そうして育ったのが、「小皇《シアオホアン》帝《ディ》」や「小公主《シアオゴンジュ》」(公主は皇帝の娘)と呼ばれるワガママし放題の子供たちで、社会問題化していった。

私も中国で友人宅にお邪魔すると、「凶暴な一人っ子」に当惑することがしばしばあった。少しでも意に沿わないことがあると、「ウギャーッ！」と騒ぎ出し、両親を屈服させる。まるでミニゴジラだ。

北京の幼稚園を見学した時、園長先生は「いま一番の問題は『児童肥胖《アルトンフェイパン》』です」と言った。ピッタリくる訳語は「幼年太り」。確かに少なからぬ幼稚園児たちが、ミニ力士のようで、教室はさながら子供相撲部屋のようだった。

また農村部では、女の子が生まれると、戸籍に入れなかったり、間引いてしまったりしたため、男児ばかりが増えていった。２０１０年の新生児の男女比は、１１８・６４対１００！　何と男児が女児より2割近くも多いのだ。

そのため現在では、３０００万人もの中国人青年が「剰男《シェンナン》」（余り男）と言われる。東南アジアや、果てはアフリカにまで、嫁探しに行く中国人男性もいるほどだ。

ちなみに「剰男」という言葉は、日本と若干の関わりがある。酒井順子のベストセラー『負け犬の遠吠え』（講談社、２００３年）の「負け犬」（高齢未婚女性）という言葉を、台湾版では「敗犬《バイチュエン》」と訳し、中国大陸版では「喪家犬《サンジアチュエン》」と訳した。だがどちらの語もしっくりいかず、２００７年に「剰女《シェンニュイ》」（余り女）という新語が生まれた。その男性版が「剰男」だ。

中国では、「倒三角《ダオサンジアオ》」（逆三角形）という少子高齢化のいびつな人口ピラミッド社会が、近未来にやって来る。2049年に新中国建国100周年を祝うのは、5億人もの高齢者たちなのだ。中国は、まさに世界最大の老人国家である。

こうしたことに蒼《あお》ざめた習近平政権は、いくつかの試行を経て、2016年の正月から、「人口及び計画出産法」を改正施行。全面的な「二人っ子政策」に転換したのだった。一家庭あたり二人の子供を認めるということだ。

だが、2022年時点で40歳以下の中国人は、ほとんどが一人っ子で育っているので、いきなり「二人っ子政策」と言われても、戸惑っている若者も多い。晩婚化も進んでおり、2020年の第一子出産時の平均年齢は、29・13歳まで上昇した。

そもそもコロナ禍の影響などで、景気は最悪。その上、物価高で生活費は高騰しており、二人の子供を育てる余裕がある家庭は多くないのだ。

2022年1月17日、年に一度の会見に臨んだ寧吉喆《ねいきちてつ》国家統計局長は、「昨年の出生数は1062万人で、うち約43％が二人目の子供だった」と述べ、政府の「二人っ子政策」が浸透していることを強調した。だが、2020年の出生数は1254万人だったので、一年で192万人も減少したことになる。これは日本の2021年の出生数81・2万人の約2・4倍にあたる数だ。そのことについては、もぞもぞと弁明した。

「出産年齢の女性の数が減少し、出産の観念も変わってきて晩婚化が進み、それにコロナ禍ということもあり……」

それでも、いついかなる時でも強気、強気なのが習近平政権の特徴だ。2021年8月20日、「人口及び計画出産法」を再度改正し、三人目の子供の出産を奨励するようになったのだ。「三人っ子政策」時代の始まりである。中国語で子供は「孩子《ハイズ》」なので、これを「三孩政策《サンハイジェンツー》」と呼ぶ。

同年12月9日、中国共産党傘下の「中国報道ネット」は「三人っ子政策を実行する党員幹部の適切な行動」を発表した。

〈一人ひとりの党員幹部は、あれこれの主観的原因によって、結婚や出産を拒むことはできない。またあれこれの原因で、一人もしくは二人だけの子育てをしてもならない。三人っ子政策を実行することは、一人ひとりの党員幹部が、国家の人口発展の責任を受け持つことであり、国家の人口発展の義務を履行することでもあるのだ。

自分の家族や周囲の人が、あれこれと口実を設けて一人っ子や二人っ子に済ませることを黙認したり、放任したりすることは、絶対に許されないのだ〉

まさに180度の方針転換だ。ただ、「強制的に行う」という共産党の態度だけは、いつの時代も変わっていない。

掃黄打非《サオホアンダーフェイ》

中国人は昔から、特定の「色」を大切にした。例えば、中国全土を初めて統一した秦の始皇帝（紀元前259年〜紀元前210年）は、「黒」を秦の「国色」に定めた。そうなると何人たりとも畏《おそ》れ多くて、黒い服など着られない。

このような習慣は、中国の古代哲学である五行思想《ごぎょうしそう》から来るものだ。天下の万物は、「木・火・土・金・水」の5つから成っていると説く。そして、「木（東・春・青）・火（南・夏・赤）・金（西・秋・白）・水（北・冬・黒）」という全方位・全季節・全色を束ねる中心に存在するのが「土（中央・黄）」とされた。

世界の中央・中心に位置する中国大陸の土は黄土である。そのため、最高統治者は「黄《ホアン》帝《ディ》＝皇帝《ホアンディ》」となり、皇帝は黄龍袍《おうりゅうほう》（龍の柄の黄色い長衣）を着て政務を司《つかさど》った。こうした黄色崇拝は、時代と共にますます進み、明清時代の王宮である北京の紫禁城《しきんじょう》は、屋根瓦がす

べて黄色に統一された。

ところが、1911年に辛亥《しんがい》革命が起こり、翌年2月に6歳の皇帝溥儀《ふぎ》（宣統帝《せんとうてい》）が退位。2134年間、連綿と続いてきた皇帝時代は終焉《しゅうえん》した。

その後、20世紀前半の群雄割拠《ぐんゆうかっきょ》時代を経て、1949年に毛沢東主席率いる中国共産党が中心になっていまの中国を建国すると、聖なる色は「紅《くれない》」に変わった。共産党にとって、「紅は血の色、革命と正義の色」なのである。現在でも、習近平総書記は重要行事に臨む際、必ず「紅《あか》いネクタイ」を着用する。

同時に、かつて「聖なる色」だった黒色や黄色は、「悪の色」に貶《おとし》められてしまった。

毛沢東主席は、「人民の敵」である地主、富農、反革命分子、悪質分子、右派分子に、「黒五類《こくごるい》」というレッテルを貼って糾弾《きゅうだん》した。ちなみに、賞賛すべき「紅五類《こうごるい》」というのもあって、それは工人（労働者）、農民、革命幹部、革命軍人、革命烈士だ。

一方、黄色は、英語の「イエロー（yellow）」のような「低俗」の意味を超えて、腐敗や堕《だ》落《らく》、「エロ」を指すものとなった。明末の1600年頃に書かれた著者不明の小説『金瓶《きんぺい》梅《ばい》』に出てくる、6人の女性と愛欲に溺《おぼ》れる主人公・西門慶《せいもんけい》のような男が、「黄色人物」である。同書を毛沢東主席個人は愛読したが、国民全体への禁書は解かなかった。

江沢民時代になって5年が経った1994年秋、中国共産党内に「掃黄打非小グループ」なるものが作られた。「掃黄《サオホアン》」とは「エロを一掃する」ことで、「打非《ダーフェイ》」は「非合法のものに打撃を与える」こと。「秋風は落ち葉を一掃する」（秋風掃落葉《チウフェンサオルオイエ》）というシャレたスローガンをこしらえて、期間限定の一斉取り締まりを始めたのだった。

取り締まりの効果はてきめんで、たちまち売春マッサージ店の「老板《ラオバン》」（経営者）や「小姐《シアオジエ》」（売春婦）、海賊版のAV（アダルトビデオ）業者などを、続々と摘発。CCTV（中国中央電視台）のニュースや『人民日報』の紙面を飾った。

だが、他人事のように見ていた私も、翌年には「当事者」となってしまった。もう時効だろうから、やや気恥ずかしい体験談を告白しよう。

1995年9月から北京大学に留学した私だが、ほどなく一人の「悪友」ができた。彼は日本の公的機関から派遣されていたが、記者顔負けの好奇心を持つ豪傑だった。夜な夜な外出し、深夜に「勺園《しゃくえん》」（留学生寮）に戻って来る。ある時、問うたら、あっさり吐いた。

「中国には31の地域があるだろう。広すぎて全部回ることなんかできない。そこで毎晩、各地域の『小姐』のお相手をすることにしたんだ。これなら1ヵ月あれば、中国全土を制覇できるではないか。各地の特徴も『体感できる』というものだ」

私は納得したような、しないような……。ともかくひと晩、彼に同行してみた。

市内朝陽区某所にひっそりと立つ、さも怪しげなマッサージ店。だが店内は、盛況だ。

休憩室でだいぶ待たされ、薄汚れた中国の雑誌をめくっていると、バタバタと大きな音がした。振り向くと、拳銃を構えた公安（警察）が20人くらい、一斉になだれ込んできた。

「全員両手を壁に付けて、後ろ向きに立て！」

室内に「キャーッ」という悲鳴が上がる。男も女も、店員も客も、万歳のポーズを取って壁際に立つ。もう訳が分からない。

私が誰何《すいか》される番になった。公安の一人がソニーのハンディカムを回し、もう一人がカバンや、ポケットに入った財布の中身などを、くまなくまさぐる。学生証が発見された。

「お前は北京大学の留学生か？」

「はい」

「留学生がなぜこんな時間に、こんな場所にいるんだ？」

「勉学で身体が疲れたので、マッサージを受けようと……」

その間、私の脳裏を掠《かす》めたのは、北京大学の日本人留学生たちの間で、まことしやかに伝わる都市伝説だった。それは、買春行為を行った外国人は、パスポートに「買春行為により国外退去」と書かれた黄色いスタンプを押されるというのだ。赤い表紙のパスポートに、黄色の烙印《らくいん》……。

「お前たち二人は、すぐにここを出ろ！」

私たちは、ほうほうのていで店を出ると、タクシーに飛び乗って北京大学に戻った。車中で、この大物公務員は嘯《うそぶ》いた。

「結局、服を着ているかどうかと、コンドームを保持しているかが、明暗を分けたんだな。今日は、実に勉強になった」

さて、それから大らかな胡錦濤時代を経て、「泣く子も黙る」習近平時代へと移った。

習近平時代の「掃黄打非キャンペーン」は、何の予告もなく２０１４年2月9日に、ＣＣＴＶの衝撃映像で始まった。ニュース特集番組『新聞《シンウェン》 直播間《ジーボージェン》』が、30分にわたって広東省東莞《とうかん》市の「売春宿潜入ルポ」を流したのだ。

隠しカメラを身に付けた男性記者が客を装い、市内のホテルのバーに入るところから映像は始まる。店内中央の舞台では、あられもない格好の「小姐」たちが、腰を振ったり脚を上げたり。それぞれ腰に番号をつけており、客席から指名がかかれば、９００元（約１万８０００円）で売られていく。すなわち上階の客室へ行って売春行為に及ぶというわけだ。

市内の別のホテルでは、宿泊費に「小姐二人」の売春代金も含まれていた。彼女たちは部屋に入ると、挨拶代わりに「裸舞《ルオウー》」（ヌードダンス）を披露し、３Ｐが始まる……。

番組では、大同小異の計六つのホテルが登場した。記者は売春現場を隠し撮りするたびに、律儀に公安に通報して「○○ホテルでいま違法行為の売春をやってます」と告げるが、公安は「あっそう」で終わり。おそらく公安が私服で行けば、無料招待となるのだろう。

こんな前代未聞の暴露番組が突然、全国放映された東莞市は、蜂《はち》の巣を突《つつ》いたような騒ぎとなった。徐建《じょけん》党委書記（市トップ）は翌朝、党の常務委員会を招集し、自らが小グループ長となって「掃黄小グループ」を立ち上げた。同日、東莞市公安局は、市内1948ヵ所の施設に対して、一斉手入れを行った。

広東省公安局も、同日晩だけで、6000軒ものマッサージ店やカラオケ店などを捜査。3日間で1万8372軒を摘発し、920人を拘束したと発表した。

まさに一罰百戒《いちばつひゃっかい》だった。それから8年、もはや売春婦の「小姐」など消滅したと思いきや、2022年7月20日、CCTVは「今年上半期、『掃黄打非』で5200件あまりを摘発し、うち850件あまりを刑事事件にした」と報じた。コロナ禍で売春宿は減ったものの、ネットのエロ動画配信が増殖しているという。

思えば、中国には殷《いん》の紂王《ちゅうおう》の時代（紀元前1100年頃）から、「酒池《しゅち》肉林《にくりん》」の逸話がある。唐代の玄宗《げんそう》皇帝時代を白居易が詠んだ『長恨歌《ちょうごんか》』にも、「後宮の美女三千人」（後宮佳麗三《ホウゴンジアリーサン》千人《チエンレン》）とある。

そのような伝統の国で、習近平政権が掲げる「零容忍《リンロンレン》（容認ゼロ）」の「掃黄打非」は可能なのか？　中国には「水清ければ魚棲《うおす》まず」（水至清則無魚《シュイジーチンズーウーユイ》）という成語もある。

秒刪《ミアオシャン》

「刪」の字が日本の常用漢字にないが、「けずる」と訓読みする。「冊」は編《あ》んだ竹簡《ちくかん》を、「刂」は刀を示す。まだ紙が発明されていなかった古代、文字は墨《すみ》をつけた筆で竹簡に書いた。誤字が生じれば刀で削った。中国二十四史のトップを飾る『史記』130巻、52万6500字も、司馬遷《しばせん》（紀元前145年頃〜紀元前86年頃）はこの手法で書いた。

『史記』の中で、読んでいて1巻だけ違和感を覚える箇所がある。「孝武本紀第十二」——司馬遷と同時代を生きた武帝《ぶてい》（紀元前156年〜紀元前87年）について記した巻だ。武帝は漢帝国を最大版図にした第7代皇帝で、その治世は54年に及んだ。

この巻で司馬遷は、武帝を誉《ほ》めまくっている。いかに偉大な皇帝様かを延々と綴《つづ》っているのだ。他の巻は、歴史の秘蔵スクープ満載で、しかも奥深い洞察に基づいて書かれているので、明らかに「訳ありの巻」だ。

中国語で「一山不容二虎《イーシャンブーロンアルフー》」（二つの山に二頭の虎は容認されない）という言葉がある。日本語の近い言葉に訳せば、「両雄並び立たず」。あら、この言葉も『史記』の「両雄不倶立《リアンシオンブージュイリー》」が原典だ。

武帝は、その名前の通り、現在の新疆《しんきょう》ウイグル自治区あたりを制圧した「武威の皇帝」として、勇名を轟《とどろ》かせた。中央アジア産の名馬を数多《あまた》揃え、乗馬が趣味だった。また中央アジアを越えて、西のローマ帝国ともシルクロードを通じて交易。ワインに惚《ほ》れ込み、宮中に醸造所を作らせたほどだった。

一方の司馬遷は、歴史・天文（暦《こよみ》）を代々司る名家に生まれた。その職である「太史公《たいしこう》」として名を馳せ、当代きってのインテリだった。

だがこの両雄、何とも不仲だったのである。武帝からすれば、頭でっかちの司馬遷が鬱陶《うっとう》しい。司馬遷からすれば、武帝の本性は賢帝とはほど遠く、とても尊敬できない。

そんな中、事件が起こる。天漢2年（紀元前99年）の「李陵《りりょう》の禍《か》」だ。

武帝の匈奴《きょうど》征伐の前線部隊を預かる李陵将軍が、李広利《りこうり》将軍を助けるため、５０００の兵を率いて匈奴の背後をつき、これを破る。だがその帰路、8万の匈奴軍に囲まれ、捕虜となってしまう。この知らせを受けた武帝は、激昂した。

この時、司馬遷が唯一、李陵将軍を擁護《ようご》した。司馬遷は李陵と一面識もなかったが、情勢を客観的に判断して、李陵に瑕疵《かし》はなく、立派な国士だと述べたのだ。

このことで武帝は、李陵の代わりに司馬遷を断罪し、「宮刑《きゅうけい》」を言い渡した。古代中国の刑罰は「五刑」である。軽い順に「黥刑《げいけい》」（顔や体に入れ墨を入れる）、「劓刑《ぎけい》」（鼻を削《そ》ぐ）、「刖刑《げっけい》」（片足を切り落とす）、「宮刑」（性器を切り取る）、「大辟《たいへき》」（五体を車裂きにする）。司馬遷はその4番目に当たる重刑に処せられたのだった。

そして刑を終えて、意気消沈していた頃に書かれたのが「孝武本紀」だった。思うに、司馬遷は武帝を「ホメ殺し」にしたのである。いかに偉大な皇帝様かと、これでもかと羅《ら》列《れつ》することによって、かえって愚帝ぶりを匂わせる高等戦術だ。司馬遷こそは、「ホメ殺し」の元祖と言える。

もっとも別の説を主張する中国の学者もいる。いったんは割合正直に書いたが、「全刪《チュエンシャン》」（全文削除）を命じられ、仕方なく誉めまくったという説だ。

真相はいまだ謎のままだが、分かっていることが一つある。それは、中国において為政者と書き手の関係は、古代から現在に至るまで、頗《すこぶ》る緊張関係にあるということだ。

竹簡の時代から紙の時代に変わり、いまやインターネットの時代になった。それに合わせて習近平新時代に入ると、「刪」の字に、「秒」という接頭語が加わった。すなわち、「1秒で削除してしまう」という意味だ。

普段、中国のニュースを追いかけている私は、身体の方は老いる一方だが、指の瞬発力は、おかげさまで大いに鍛《きた》えられている。

インターネットやSNS上に、習近平総書記や中国共産党政権にとって不都合と思えるニュースや映像がアップされると、「秒删」を喰《く》らう。そのため、こちらは記事が残っている間に、保存するかスマホで写真を撮っておかねばならない。本当に1秒の差で、成功したり失敗したりするのだ。

そんな中で、私の「戦利品」をいくつか紹介しよう。まずは、2016年3月13日に中国国営新華社通信が、この日に終了した年に一度の「両会《リアンフイ》」（全国人民代表大会と全国政治協商会議）を総括した記事の一節だ。

〈中国最後の指導者である習近平は、今年の「両会」で、「中国の発展は一時一事、波はあるけれども、長期的に見れば順風満帆だ」と表明した〉

この記事を見た私は、唖然《あぜん》としてすぐに保存したが、瞬く間に「秒删」された。そして1時間10分後に再びアップされたが、冒頭の表記が「中国最高の指導者」に書き換えられていた。後に新華社通信の知人に聞いたら、党と国家の最高尊厳（習近平氏）に対して、「最高」を「最後」と誤記したことで、上から下まで厳重な処分を受けたという。

だが本当に、「高」を「後」と打ち間違えただけの単純ミスだったのだろうか？

まず、中国語のピンインでは、「高」（gao）と「後」（hou）を打ち間違えることはあり得ない。中国語のタイプ方法は、ピンイン法の他にも五筆打法などがあるが、やはり打ち間違えるほど似てはいない。

それに、新華社の知人によれば、習近平関連などの最重要記事においては、現場の記者が書いた草稿を、6人の上長がチェックした後、初めてアップされるという。6人とも気づかなかったというのは不可解だ。

さらに言えば、そもそも「中国最高の指導者」（中国最高領導人）という表現自体が不自然だ。普通は「習近平総書記」「国家主席習近平」などと表記される。時に親しみを込めて「習近平同志」と書かれることもあるが、「中国最高領導人」という書き方は奇異である。

実は、この記事が出る約1ヵ月前の同年2月19日、習近平総書記が新華社通信本社などを視察に訪問。「メディア党姓論」をぶって、中国のマスコミ業界に衝撃が走っていた。

かつて毛沢東主席は、「新聞を党の重要な武器とみなせ」と説いた（1942年9月15日の指示）。つまり、中国のメディアというのは、共産党の宣伝機関という認識だ。

習近平総書記もまったく同じ考えで、「すべてのメディアは共産党の姓を名乗れ」と檄《げき》を飛ばしたのだ。新華社通信は国務院（中央官庁）傘下にあるので国営ではあるものの、世界の戦場を駆け巡ったりもしているわけで、報道機関としての矜持《きょうじ》を持っている。それがあからさまに「党の宣伝機関となれ」と言い渡されたことで、内部は動揺した。そんな中で起こったのが、「中国最後の指導者事件」だったのだ。

その3ヵ月半後、7月1日の中国共産党創建95周年の記念式典を報じた「テンセント・ネット」（騰訊網《タンシュンワン》）も、「傑作」をアップした。

〈習近平は重要講話で癇癪《かんしゃく》を起こした〉（習近平発飙重要講話）

こちらも直ちに「秒删」され、しばらくして〈習近平は重要講話を発表した〉（習近平発表重要講話）と直されてアップされた。「飙」も「表」もピンイン表記では同じ「biao」だが、声調が前者は一声で後者は三声だ。とてもプロの記者が誤記するとは思えない。

ともあれ、この1文字の「漢字間違い」によって、「テンセント・ネット」の名物編集長・王永治《おうえいじ》氏は解任され、一介のスポーツ担当記者に飛ばされてしまった。

こうした事件から6年余りを経て、「秒删」はますます猛威を振るっている。いまや「抖音《ドウイン》」（TikTok）などの動画サービスも「秒删」の対象だ。

一方、中国で最も権威ある新聞とされる『人民日報』は、連日、習近平総書記を称える記事や写真が満載。さながら『習近平日報』と化している。

ちなみに中国の憲法第35条には、こう明記してある。

〈中華人民共和国の公民は、言論・出版・集会・結社・デモ・示威の自由を有する〉

西朝鮮《シーチャオシエン》

隣国である朝鮮民主主義人民共和国のことを、日本人は「北朝鮮」と呼んでいる。その北朝鮮は、大韓民国（韓国）のことを、「南朝鮮」と呼ぶ。

そこまでは常識だが、はて「西朝鮮」なんて国、あったっけ？

私がこの新語に初めて接したのは、2016年6月4日だった。

北京に住む友人で、1989年の天安門事件で派手に活動した男がいる。その後、新聞記者になって、日本で言うなら第一線の社会部記者として、江沢民時代と胡錦濤時代には、話題を呼んだ告発ルポをいくつも書いた。

彼は酔うと、いつも天安門事件の話を始める。それで、他の中国人の知人のように春節（旧正月）に微信の挨拶を送るのでなく、天安門事件の日（6月4日）に送っていた。

２０１６年のこの日、彼から来た返信に、こんな一文があった。

〈五月三十五日的西朝鮮、大大很厳〉

恥ずかしながら私には、意味不明だった。直訳すると、「5月35日の西朝鮮は、大大がとても厳しい」。

私は数分の間、スマホの画面に現れたこの一文と、睨《にら》めっこした。あの人懐っこくも鋭い目つきの顔が、浮かんでは消える。奴《やつ》はいったい、何が言いたいのだろう？

最初に解けたのは、「大大《ダーダー》」だった。２０１４年から、習近平主席の人気を庶民の間で広めようと、官製メディアが「習《シー》大大」（習おじさん）と親しみを込めて呼び始めた。

しかし２０１６年4月になって突然、この呼称が消えた。一説には本人が嫌ったとも言われる。いずれにせよ、「大大」とは「習近平主席」を指すに違いない。

次に、5月のカレンダーを眺めてみた。当たり前だが、31日の火曜日で終わっている。だが薄い文字で、その右横に「1、2、3、4」と記されていた。今日は6月4日の土曜日……。

「あっ！」思わず声が出た。「6月4日」＝「5月35日」ではないか。

最後は「西朝鮮」。北朝鮮の地図を、脳裏で思い描いてみる。北朝鮮の西側に位置するのは……「中国だ！」

〈6月4日の中国は、習近平主席がとても厳しい〉

彼はこう伝えたかったのである。だが直接こんなことを書けば、前項で述べたように「秒刪《ミアオシャン》」（1秒で削除）されるだけでなく、公安（警察）がコンコンとドアをノックしてくるかもしれない。そうしたことを本能的に警戒して、隠語に隠語を重ねたのである。

実際、彼はこの時のメッセージで、「記者を辞めた」とも書いていた。「自分はこれ以上、『党色』には染まれない」

同年2月19日、習近平主席は、「3大メディア」と呼ばれる人民日報社、新華社、CCTV（中国中央電視台）を訪問した。そしてCCTVの大会議室に、中国マスコミ業界の幹部たちを勢揃いさせて、重要講話を述べた。

「メディアの活動は、すなわち（中国共産）党の活動なのだ。すべてのメディアは党と政府の宣伝の陣地であり、党の姓を名乗ることが必須だ！」

この講話は、「ニュースメディアの党姓の原則」（新聞媒体的党姓原則）、略して「党姓論」として、瞬く間にマスコミ業界に浸透していった。かつて毛沢東主席は「新聞を党の重要な武器とみなせ」と語ったが、毛主席を崇拝する習主席は、この考えを踏襲《とうしゅう》したのだ。

実際、一年に一度の全国人民代表大会（国会）の開幕日にあたる同年3月5日には、習総書記が「党中央厳令」を出した。「今後はメディアが、反党・反毛沢東の言論を出すことは許さない」という指令である。

鄧小平時代に入った１９８１年6月に開かれた「6中全会」（中国共産党第11期中央委員会第6回全体会議）で、毛沢東主席が主導した文化大革命は誤りだったと総括した。個人崇拝も悪として、党規約（党章程）で禁止を定めた。そうした決定を35年ぶりに覆《くつがえ》したのである。

一事が万事で、「毛沢東主席はすべて正しい」→「習近平主席は毛主席の後継者である」→「習近平主席はすべて正しい」という論法である。これは北朝鮮の「金日成《キムイルソン》主席はすべて正しい」→「金正恩《キムジョンウン》総書記は金日成主席の後継者（直系の孫）である」→「金正恩総書記はすべて正しい」という論法と同じだ。

実際、中国共産党中央委員会機関紙『人民日報』は、朝鮮労働党中央委員会機関紙『労働新聞』と記事の内容が変わらなくなり、ＣＣＴＶはＫＣＴＶ（朝鮮中央テレビ）とニュース番組の内容が変わらなくなった。要は、最高指導者の礼賛一色である。

そしてあらゆる中国メディアが、この方針に追随しなければならなくなった。新興のネットメディアも同様で、スマホをクリックして表紙画面を開けると、その日や前日の習近平主席の活動や重要講話で溢《あふ》れるようになった。

前述のように、全国９６７１万人の共産党員は、習総書記の重要講話を手書きで書き取り、その講話で自分が何を学習したかも付記しなければならない。そうしたことから、中国のインテリたちが、自国を自虐的に「西朝鮮」と呼ぶようになったのだ。

そう言えば習近平主席と金正恩総書記には、共通点が多い。以下思いつくままに挙げる。

①二世政治家

習主席は習仲勲《しゅうちゅうくん》元副首相の次男で、金総書記は金正日《キムジョンイル》前総書記の三男だ。互いに幼少期から「偉大な父親」を見て育ち、帝王学を身につけてきた。長男でない点も共通項だ。

②一強政治

胡錦濤政権から習近平政権への最大の変化は、集団指導体制から一人指導体制に移行したことだ。「中南海」（北京の最高幹部の職住地）の俗語では、「総書記説了算《ゾンシュージーシュオラスアン》」（総書記が言ったらそれで決まり）と言う。

そのため、党内序列ナンバー2の李克強首相の影は薄くなり、いつしか「李省長」と囁《ささや》かれるようになった。「省」は日本の「県」にあたるので、さしずめ「李県知事」だ。

北朝鮮に関しては、かつて金正恩総書記の叔父で、張成沢《チャンソンテク》党行政部長という「不動のナンバー2」が存在した。だが金総書記の逆鱗《げきりん》に触れて、２０１３年12月に機関銃で銃殺された後、火炎放射器で跡形もなく燃やされてしまった。

③強軍政策

習近平政権は「強国強軍」をスローガンに掲げて、軍備増強に邁進《まいしん》している。同様に金正恩政権も、「強盛大国」をスローガンに掲げて、ミサイル実験や核実験を繰り返している。両者とも「アメリカに対抗するには強力な軍事力しかない」と考えているのだ。

④夫人は元国民的歌手

習近平夫人の彭麗媛《ほうれいえん》氏も、金正恩夫人の李雪主《リソルジュ》氏も、ともに国民的歌手として活躍している時に、いまの夫に見初められた。

⑤肉好き

習主席は「北京ダック」を生んだ北京人だけあって、無類の肉好きとして知られる。2017年4月、トランプ大統領の別荘で初対面のディナーの際、メインディッシュを「ドーバー海峡産カレイ」にするか「ニューヨーク風ショートロインステーキ」にするか聞かれ、「ステーキ」と即答。やはり無類のステーキ好きのトランプ大統領を喜ばせた。

一方の金正恩総書記も、唯一の親しい日本人である「金正日の料理人」藤本健二氏から私が聞いたところでは、毎日300gのステーキを平らげるという。

31歳違いの両雄は、互いにトップに立って6年後の2018年3月26日、北京の人民大会堂北大庁で初対面を果たした。ふっくらとした顔といで立ち、まさに親子のように映った。

第４章

24時間戦えますか？
弱肉強食の中国ビジネス

九《ジウ》九《ジウ》六《リウ》

私が東京で勤務している会社では、１９８０年代から毎年３人の中国人研修生を受け入れていた（現在は中断）。私はいまから30年ほど前、北京の同業の会社から派遣されて来たＯ氏に、毎週１回、ボランティアで日本語を教えていた。

そのＯ氏、営業部で働いていたのだが、夕刻に伺うと、いつも自席にいない。何度目かに、私は直接トイレに行って、一番奥のカギがかかっている扉をノックした。

「Ｏさん、起きて！」

すると扉が開いて、寝ぼけ眼《まなこ》のＯ氏が出てくるのだった。

「日本人は、なぜそんなに働くのが好きなのだ。昼休みも『休み』でなく、夕方の退社時間も『退社する時間』ではない。テレビをつけたら、『24時間戦えますか？』なんてＣＭ

を流している。

私の故郷、北京では、昼休みは2時間あって、毎日ランチの後には、皆が職場で昼寝する。夕方の退社時間になると、5分後にはオフィスから人が消える。もちろん休日の出勤なんかあり得ない」

O氏は二言目には、「日本人は仕事中毒」と批判したものだった。

それから30年の時が流れ、最近は中国からわが社に訪問客が来ると、帰り際に決まり文句のように、こうつぶやく。

「日本は中国以上に『社会主義国』だ。労働者の天国だ。日本のオフィスでは、なんとゆったり時間が流れていることだろう」

普段、日中を行き来している私も、この頃は「逆転現象」を痛感する。もしもいま、私が北京や上海のIT企業などに勤めたら、それこそ30年前のO氏のように、トイレに逃げ込む日々に違いない。

中国の大都市のオフィスを訪問するたびに、私は「雁過抜毛《イエングオバーマオ》」という中国語の成語を思い起こす。直訳すると、「飛んで行く雁《かり》からも羽を抜こうとする」。日本の近い諺《ことわざ》は、「生き馬の目を抜く」。

中国社会は、誤解を恐れずに言えば「結果がすべて」である。そこへ至る過程は、あまり問われない。

極論すれば、オフィスで隣席に大変優秀な社員がいて、ある日その社員が風邪をひいて休んだ隙《すき》に、その業績をごっそり持ち去って、ライバル会社に転職してしまうことだってあり得る。そうした行為をライバル会社は高く評価し、高給を支払う。そのような実例を、私は北京駐在員時代に、いくつも見聞きしてきた。

そのため中国のオフィスでは、仕事中は一瞬たりとも気が抜けない。私は北京で、部下が全員中国人という会社に身を置いていたが、毎夕の退社時間になると、ジャラジャラとやかましい音が聞こえ始める。社員たちが退社する前に、パソコンと机をつなぐ鉄輪や机の一つひとつの引き出しに、カギをかけるのだ。

会社では日々、大小さまざまなトラブルの連続である。その日一件もトラブルがないと、「今日は稀《まれ》に見る幸運な日だった」と、天に感謝したものだ。

日系企業は、それでも一応の「品位」を保っていた。一般に中国では、国家公務員、国有企業、外資系企業、中国民営企業の順で人気がある。つまり、日系企業の下には多種多様な中国の民営企業が存在するのだ。

中国で民営企業が勃興《ぼっこう》したのは、1990年代なので、どの会社も創業間もない。そのため、福利厚生などの社内環境が安定していない上、どの業界も激烈な競争に見舞われている。おまけに共産党の方針によってビジネス環境が激変したりする。

李克強首相は一時期、「わが国では毎日、1万6000社も創業している」と外国の要人たちに吹聴していた。だがその大半は数年以内に消えてゆき、死屍《しし》累々《るいるい》である。周囲に山と「死骸《しがい》」が横たわっているから、中国の民営企業は日々、生き残りに必死だ。

そんな中国で、2016年10月、「九九六」という言葉が社会問題化した。北京に本社がある大手IT企業「58同城《ウーバートンチェン》」が、「九九六工作制」なる就業規則を定めていると、内部告発があったのだ。

〈私たち従業員は、朝9時から夜9時まで、一日12時間働かねばならない。かつ月曜日から土曜日まで、週に6日勤務だ。それなのに、会社は残業代を支給してくれない……〉

会社側は、「9月と10月は、たまたま繁忙《はんぼう》期にあたっただけだ」と釈明した。だが他のIT企業でも、大同小異の状態であることが明るみに出た。

それでも、中国を代表するIT企業アリババの創業者、馬雲《ばうん》会長（当時）は、そうしたブラック企業を擁護した。「微博《ウェイボー》」（中国版ツイッター）で、次のようにつぶやいたのだ。

〈今日《こんにち》、中国のバイドゥ、アリババ、テンセントなどの会社では、たしかに「九九六」ということがあり得るだろう。思うに、これはその内部の人たちにとっては吉報だ。

この世界で、われわれは誰もが、成功やよりよい生活を望んでいるし、他人から尊重されたいと思っている。

では聞くが、あなたが他人よりも超越的な努力をせず、時間も使わなければ、どうやってあなたが望む成功を実現するのか？

いまや、われわれはかくも多くの資源を有しており、巨大な使命を負っている。そして将来、天下に不可能なビジネスなどなくそうとしている。そのために努力し、時間を使うのはダメなのか？〉

馬雲会長らしい開き直りだった。私は2010年に、馬雲会長から直接、話を聞いたことがある。「1万人を超える社員をどうやって束ねているのか？」と質問したら、あっさりとこう答えた。

「それは会社の就業規則を作らないことだ。いや、わが社にはたった1行だけ、就業規則がある。それは『(会社に) いるなら (私の言うことに) 従え、いやなら辞めろ』だ。どの社員もわが社で働き続ける限り、すべて私の指示に従ってもらう」

まことにワンマン会長なのである。なお、「天下に不可能なビジネスをなくす」(譲天下没有難做的生意) という言葉は、創業以来のアリババの社是だ。何でも杭州《こうしゅう》で創業した無名の頃、馬雲会長が西湖の畔《ほとり》で叫んでいたセリフなのだとか。

だが、馬雲会長のようなワンマン経営者や取締役よりも、馬車馬《ばしゃうま》のように働かされている社員たちの方が、当然ながら多数派だ。彼らが次々に声を上げ、「ＩＴ業界はブラック業界」と、世の中の非難は高まっていった。

中には、「わが社は『九九六』どころか『〇〇七《リンリンチー》』だ」と暴露する人まで現れた。「〇〇七」とは、ジェームズ・ボンドのスパイ映画をもじった言葉だが、0時から0時まで24時間、週7日労働を表す。つまり「超ブラック企業」だ。

中国の労働法第36条では、「国家は労働者の毎日の労働時間を8時間以内と定め、平均の毎週の労働時間が44時間を超えない制度を実行する」と謳《うた》っている。だが一般に、中国の問題は、法整備ができていないことではなくて、立派な法律が定められているにもかかわらず、現実がかけ離れていることなのだ。

２０２１年8月、前述のように習近平政権は「共同富裕」(国民が共に富裕になっていく方針)をブチ上げ、富裕層の象徴である大手ＩＴ企業を標的にし始めた。同月には、最高人民法院(最高裁判所に相当)と人力資源社会保障部(厚生労働省に相当)が、悪質な「九九六」会社10社の社名を公表し、「今後は厳しく取り締まっていく」と宣言した。

それでも収まらない内部の「九九六」状態と、政府の圧力に耐えかねて、中国のＩＴ業界人材の国外流出が顕在化《けんざいか》している。

その中には、「近隣の社会主義国」に向かう中国人も少なくない。そう、日本のことだ。

打工人《ダーゴンレン》

「山路《やまみち》を登りながら、こう考えた。智《ち》に働けば角が立つ。情に棹《さお》させば流される。意地を通せば窮屈《きゅうくつ》だ。とかくに人の世は住みにくい」

私は10年ほど前まで、北京で3年間、日系企業の副総経理（副社長）をしていた。オフィスに行く途中に坂道があって、毎朝その坂を登るたびに、夏目漱石の『草枕』の冒頭部分を口ずさんでいたものだ。ただし「人の世」を「中国の世」に置き換えてだが。

そもそも日系企業の中国駐在員というのは、通常、日本や海外で数多くのビジネス経験を積んでから送り込まれる。当時すでに中国というのは、世界ビジネスの中心地であり、野球で言うなら大リーグだった。欧米企業もアジア企業も「エース投手」や「ホームラン王」を送り込んでいたし、当の中国企業のビジネスパーソンたちも、米欧でMBAを取得した逸材《いつざい》が集結していた。

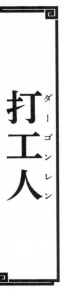

ところが私の場合、それまで東京で記者をしていた。ビジネスの契約書を交わすどころか、契約書というものを目にしたことさえなかった。そんな私がなぜ北京に送り込まれたかと言えば、会社の国際ビジネス部門の人材が枯渇《こかつ》しており、誰か中国語ができる社員はいないかと、約1000人いる社内を探し回ったら、たまたま私が目に留まったのだ。

だが、さすがにビジネス未経験の男に現地法人の総経理（社長）を任せるわけにはいかないという判断で、副総経理を拝命した。といっても、総経理は東京の本社にいたので、私が現地代表であり、会社のカネもハンコも管理していた。ちなみに私以外の社員は全員、中国人で、会社の公用語も中国語なら、取引先の会社もすべて中国企業だった。

そんな環境下で中国ビジネスの最前線に飛び込んで、数ヵ月も経つと、一つの発見をした。それは「海洋民族」である日本人と「大陸民族」である中国人は、共に黄色人種で、漢字文化圏で、コメを主食とし、いささかの儒教精神を有していることを除けば、他に共通点がほとんどないことだった。「日中は一衣帯水」と言うが、発想や行動様式などは、地球を逆に4万km回ってようやく辿り着くほどの距離感があるのだ。

とりわけ際立った違いを見せるのが、「自己（我）と社会との関係性」である。例えば、一般に日本人が会社に求めるものは、生活の安定と自己実現である。つまり安定した収入を得る代わりに、会社の一部となって自己実現を図っていくということだ。

そこでは協調性や一体性が求められ、会社の決裁システムも基本的にボトムアップ方式（案件を下から上に積み上げていき、最後に取締役会で承認される方式）である。終身雇用と年功序列が重視され、何年も勤めているうちに愛社精神や滅私奉公の精神が涵養《かんよう》されていく。

一方、中国人が会社に求めるのは、一にも二にも高い給料だ。他にもあるとしたら、次のステップアップに応用できるノウハウや人脈の取得である。あくまでも「我《ウォー》」という絶対的存在があって、我が今日たまたま所属する会社に通っているという発想なのだ。

そのため、給料を3割アップしてくれる別の会社が見つかれば、何の未練もなく転職していく。また、どんなに年末で多忙を極めようが、有給休暇の未消化分は、きっちり取得して翌年を迎える。

そうした「割り切り方」は、「老板《ラオバン》」と呼ばれる経営者（董事長＝会長・総経理）の側も同様である。社員100人の会社なら、常に30人くらいの人員募集をかけている。「老板」が気に入らなければ、即刻クビにしたり降格したりするからだ。クビ切りの乱発を防ぐため、2008年に労働契約法が施行されたが、あまり効果を上げていなかった。

「老板」が社員に求めるのは、短期的な仕事の成果と、自分への忠誠心である。社内では、IT能力が高くて使いやすい若手社員を、どんどん出世させる。社歴や年齢など無関係だ。ちなみに中国のビジネス界は、完全な男女平等社会である。

そこでは「愛社精神」など死語に等しいし、持っている社員がいるとすれば「老板」だけだ。かつ「老板」と社員との間は、一般に「就業規則」によってのみ繫《つな》がっている。そのため私は、東京の本社では「就業規則」など目を通したこともなかったが、北京の現地法人では全105条を丸暗記して、日々社員たちと相対していた。

そんな中、取引先の中国企業の社員たちと親しくなって、会食したりすると、彼らはよく自虐的な言葉を吐いていた。

「我只是個打工人《ウォージーシーガダーゴンレン》」

日本語に訳せば、「オレなんかただのバイト君さ」。中国企業では主要な権限は「老板」一人に集中し、徹底したトップダウン方式なので、正社員や役職者であっても、アルバイトのような扱いを受けているという意味だ。「打工人」には非雇用者という広義の意味もあるが、彼らが使っていたのは「アルバイト」である。

この「打工人」に悩まされたことは、一度や二度ではなかった。私は「日中ビジネスの罠《わな》」と呼んでいたほどだ。

例えば、ある中国の会社と取引したいとする。私はその会社に電話し、用件を告げる。すると多くは、総経理秘書室に回され、「ではいついつお越し下さい」となる。指定された日時に行くと、豪華な総経理応接室に通され、いきなり「老板」との面談となる。

面談を始めて、30分経っても「老板」が退出しなければ、ほぼ私の勝利である。「鶴の一声」で関連部署の社員たちがズラリと総経理応接室に集められ、「では後は、彼らと詳細を詰めてほしい。できるだけ早期に契約書を交わそう」と言われて、「老板」とがっちり握手。文字通り即断即決で、晴れて契約へ向けて「GO！」である。

だが、ここから地獄が待っている。関連部署の社員たちは、自分を「打工人」としか思っていないので、責任感に欠け、行動が鈍いのだ。「会社の利益になっても自分の利益にはならないこと」に対するモチベーションが湧《わ》かないのである。彼らがごくたまに迅速な行動を見せたかと思えば、自分の親族や友人の会社に利益を誘導しようとしたりする。

その間、日本の本社からは、「あれはどうなったか？」「いつまでに分かるのか？」などと、矢のような催促が来る。だが中国企業は、半年で部署の過半数が辞めるくらい入れ替わりが激しい。おまけにある日突然、辞めるため、日本企業のような次の担当者への引き継ぎなど皆無である。現場は常に大混乱だ。

そのうち、もう一つの「激震」が走る。中国企業の動きが、ある日ピタリと止まるのだ。「御社との協業に向けた手続きなんて、進めてましたっけ？」という感じだ。

これを最初に喰らった時は、何が起こったのか理解不能だった。私が担当者にしつこく迫ると、「そんなに言うなら『老板』に直接言って下さい」と諌《いさ》められた。そこで「老板」

の携帯電話にかけると、電話に出ないか、出ても「いま忙しい」とブツリと切られる。仕方がないからアポなしで、総経理室に向かう。すると「その件なら、韓国企業と進めることにした」と、「老板」はそっけなく答えたのだ。中国企業というのは、実に魑魅魍魎《ちみもう》の伏魔殿《りょうふくまでん》だということを思い知らされたものだ。

それだけに、契約書を交わすところまで持ち込めた時は、感慨もひとしおである。私は大小合わせて300件くらいの契約に立ち会ったが、金額の多寡《たか》によらず、どの契約書も自分の子供のように愛おしかった。

ただ契約書を交わしたからといって、安心はできない。中国人は「契約書を順守する」というより、「時々刻々変化する実情に合わせて契約書を変えていく」という発想だからだ。

あれから10年が経つが、最近気掛かりなのは、当時よりも中国人の「打工人」意識がさらに増していることだ。それだけ中国が不景気になったということでもある。会社からいつクビを切られるか知れないため、ますます社員の責任感が希薄になっているのだ。

ついには「工具人《ゴンジュイレン》」なる新語まで生まれた。「工具」は道具のことで、「会社の道具である人」という意味だ。不景気で巷《ちまた》に失業者が溢《あふ》れているから、「老板」は「いくらでも代わりが雇える」と思って、社員を「道具」のように扱うのである。

とかく「中国の世」は住みにくい。

外売騎手《ワイマイチーショウ》

19世紀中盤、清国（中国）との貿易に多額の銀を支払うのが億劫《おっくう》になった大英帝国は、植民地にしていたインドの民《たみ》にアヘンを作らせ、アヘンを清国に密輸して得た資金で支払うようになった。

麻薬被害が深刻化した清は、アヘンを燃やして抗議。怒った大英帝国は世界最強の艦隊を東アジアに送り込み、「アヘン戦争」（1840年〜1842年）を起こした。そして清を完膚《かんぷ》なきまでに叩き、南京条約によって香港島を割譲《かつじょう》させ、上海に租界（租借地）を築いたのだった。

イギリスの上海支配は第二次世界大戦中の1943年まで、香港支配は1997年まで続いたが、両都市に支配の象徴のように建てたのが、競馬場だった。そこで活躍し、ヒーローになれる「騎手」は、現地の若者たちにとって憧れの職業だった。

1949年に中国を統一した共産党政権は、競馬を「資本主義の害毒」とみなし、禁止した。2018年8月に広州市郊外に従化《じゅうか》競馬場がオープンしたが、香港の沙田競馬場のトレーニングセンターの位置づけで、馬券を賭ける定期レースは行われていない。

だが21世紀に入って、「騎手」は再び中国青年たちの「晴れの職業」となった。いまでは中国全土で、1000万人を超える「騎手」たちが活躍している。正式名称は「外売騎手」と言う。

競馬は禁止されているのに、「騎手」が1000万人？ そこに「外売」という不可思議な接頭語までついている。

種明かしをすれば、「騎手」とは「配達員」のこと。「外売」は「出前」。つまり「外売騎手」は「出前配達員」を指す。特にコロナ禍になってからは、俄然注目を浴びている職業なのだ。

私が「職業としての外売騎手」の存在を知ったのは、2009年のことだった。当時、北京で日系企業の現地代表をしていたが、大通りを挟んだオフィスの向かい側にマクドナルドがあった。

中華料理三昧の生活を送っていると、日本で「ファストフード第一世代」の私としては、たまにはマックが食べたくなる。その日は朝から東京の本社も交えた電話会議漬けで、昼前にいったん散会したが、午後から再開されることになっていた。昼休みのうちに資料の修正をやっておかねばならない。

そんな中で、「マックの発作」が起こった。だが11階のオフィスを降りて大通りの歩道橋を往復し、長々と店頭に並ぶ時間はない。私は思わず、マックに電話をかけた。

「向かいのビルのオフィスに勤めている者なんですが、ランチセットの出前はやってませんか？」

すると、意外な答えが返ってきた。「ウチとしてはやっていませんが、これからお伝えする携帯電話の番号にかけてみて下さい」

教えられた番号に電話すると、青年が出て、「15分くらいで届けますが、手数料を10元（当時のレートで約130円）取ります」と言う。ＯＫしたら、電話に出た青年が届けに来た。大きな箱には、他の部屋の分も入っていた。

聞くと、「自分はフリーの『騎手』なんです」と答えた。「騎手？」

彼は毎日ランチ時近くになると、マックの前に勝手に陣取って、近くのオフィスビルに勤める人たちからの電話を待っているのだという。ひと月の稼ぎを聞いたら、わが社の同年齢の中国人社員と「差不多《チャーブドゥオ》」（ほぼ同じ）だったので仰天した。

いまでこそ、日本でも中国でも「ウーバー配達員」のような人たちは、当たり前の風景となったが、当時はレストランというのは「そこへ行って食べるもの」という固定観念があった。中国にも『必勝客《ビーシェンクー》』（ピザハット）の宅配ピザなどは、１９９０年代から存在したが、それらはあくまでもその店の店員が運んでいた。

それがその青年は、「自分はフリーの『騎手』」と名乗ったのである。「騎手」という言葉を聞いて、私は武豊《たけゆたか》ら競馬の騎手を思い浮かべてしまった。だが、この青年はハンバーガーを相手にしていて、おまけに乗っているのは自転車だった。しかも昼間に数時間働くだけで、同世代と同等の月収を手にしているのだ。

「隙間を見つけたら迷わず入って行け」――これは中国ビジネスの鉄則の一つである。どんな「隙間」であっても、日本の10倍以上の市場があるからだ。「隙間」を進んで行くと、思わぬ金脈に遭遇することも、応々にしてある。

実際、２００８年９月に、上海交通大学で同じことをやっていた張旭豪《ちょうきょくごう》氏らが、「餓《ウー》了麼《ラマ》」（お腹空いたかい）という珍妙な社名の会社を興《おこ》した。中国初の外食デリバリー会社だ。

その後の「餓了麼」の発展は、チャイニーズ・ドリームそのものだった。「準時必達《ジュンシービーダー》、超時秒賠《チャオシーミアオペイ》」（時間通りに必ず届け、約束の時間を超えたらその場で賠償する）をスローガンに掲げ、急成長していった。

２０１８年４月にはアリババグループが、この会社を95億ドル（当時のレートで約１兆１０

０億円）で買収した。２０２２年現在、中国全土２０００ヵ所以上の都市に、約３５０万軒の加盟店を有し、毎日約４５０万回の配達を行っている。同社が抱える「騎手」の数は、３００万人に上る。

もう一つの大手「美団（メイトゥアン）」は、胡錦濤前主席や習近平主席の母校である清華大学の電子工程科を卒業し、アメリカで修士号を取った王興（おうこう）氏が、２０１０年に31歳で興した。「帮大家吃得更好、生活更好」（ダージアチーダーゲンハオ、シェンフオゲンハオ）（皆さんの食事と生活をさらによくするのを手助けします）をスローガンに掲げ、こちらもこの10年余りで急成長した。

同社の２０２１年の売上高は、前年比56％アップの１７９１億元（約3兆5820億円）。

王興CEOは、同年のフォーブス世界長者番付で、総資産261億ドル（約3兆6000億円）で60位にランク付けされた。２０２１年時点で、527万人の「騎手」を抱えている。

この両社を合わせると、「騎手」の数は827万人。国家統計局は、２０２１年末時点での「騎手」の人数を、約１３００万人としている。これはもう現代中国を代表する職業の一つと言ってよい。

実際、２０２０年２月に「騎手」は、「網約配送員（ワンユエペイソンユエン）」（ネット予約の配送員）という名称で、「国家職業分類目録」の新職業に明記された。２０２１年12月には、「網約配送員国家職業技能標準」が発布され、仕事内容や求められる技能、知識などが示された。

加えて、2020年以降のコロナ禍にあって、「騎手」たちは市民の食生活の生命線となった。そのため、「騎手《チーショウ》」を「騎士《チーシー》」と呼び変えようという運動も起こったほどだ。

李克強首相は、2022年3月5日に全国人民代表大会で行った「政府活動報告」で、「今年は1100万人以上の都市部での新規雇用を創出する」と宣言した。毎年1000万人の都市部での新規就業者創出は、共産党政権の最重要課題の一つとなっている。

だが前述のように、若年層の就業状況は最悪だ。そんな中、「騎手」は貴重な雇用創出の場になっているのだ。

「騎手」の世界は、「専職《ジュアンジー》」と呼ばれる正社員と、「衆包《ジョンバオ》」と呼ばれるフリーランスに分かれる。圧倒的に多いのは、後者の方だ。ここ数年は、日本と同様に彼らの劣悪な待遇が社会問題化し、改善を迫られている。

私も北京のホテルのエレベーターなどで、「騎手」とよく乗り合わせることがある。声をかけると、以前は農村から出て来た出稼ぎ組が多く、「月に2万元（約40万円）も稼いでいます」などと、喜々として答えたものだ。

だが最近は、「大学を出たけれど就職先がなくて……」という青年が増えた。中には北京の名門校卒だったりもする。

「騎手」の高学歴化は、決して喜べるものではない。

直播帯貨《ジーボーダイフォ》

日本経済新聞で連載している『私の履歴書』は、周知のように各界で成功した人々の半生を、1ヵ月にわたって自身で綴《つづ》るシリーズだが、面白い月とつまらない月の差が激しい。一般に、大会社に入って順風満帆《じゅんぷうまんぱん》に出世し、社長、会長になった人物の回は、無味乾燥だ。

逆に、徒手空拳《としゅくうけん》で人生を切り拓いてきた創業者などの半生には、共感を覚える。中でも過去5年で一番、痛快無比だったのは、ジャパネットたかた創業者の髙田明氏（2018年4月）だ。長崎県平戸のしがない写真店から出発し、艱難辛苦《かんなんしんく》の末、日本に「テレビショッピング」という新業界を確立していった。まさに「口八丁手八丁」でジャパニーズ・ドリームを体現したのだ。

実は海の向こうにも、「口八丁手八丁」でチャイニーズ・ドリームを摑《つか》んだ「中国の高田明」がいる。と言ってもオジサンではなく、絶世の美女だ。雰囲気は若い頃の蓮舫《れんほう》参議院

議員に似ている。細身で１６８㎝の長身、そしてよく通るメゾソプラノの美声が特徴だ。
薇娅《ウェイ・ヤー》（本名・黄薇《こうび》）は、１９８５年9月に安徽《あんき》省合肥《ごうひ》市廬江《ろこう》県に生まれた。百度《バイドゥ》地図で確認すると、省都近郊とは思えない鄙《ひな》びた寒村である。

いつ北京に出てきたのかは不明だが、北京動物園の衣料品卸売市場で、生涯の伴侶となる董海鋒《とうかいほう》氏と出会う。そして彼女が18歳の時、二人は互いになけなしの資金をはたいて、市場の向かいで、わずか６㎡の女性服店を始めた。

２００５年、その頃中国のテレビ界で勃興していた歌謡オーディション番組に応募し、見事優勝。音楽事務所と契約した。２００７年には別の音楽事務所と契約し、Ｔ・Ｈ・Ｐという３人組の音楽ユニットを結成。同時に高級雑誌のモデルとしても活動を始めた。

だが、ほどなく歌手やモデル業に見切りをつけ、原点に返る決意を固めた。陝西《せんせい》省の省都・西安に移り住み、女性服の店をオープン。店は繁昌《はんじょう》して、地元に7店舗まで拡大した。

だがある時、これからはネット通販の時代になると思い立ち、実店舗7店をすべて清算。広東省の省都・広州に渡って、ネット通販専門の女性服ショップを立ち上げた。薇娅が服のデザインとモデルを担当し、董海鋒氏が工場や販売のマネジメントを行った。

中国最大のネット通販会社アリババは、「躺平《タンピン》」の項で述べたように、２００９年から11月11日に、特売セールを始めた。当初は「お一人様の日」（光棍節《グァングンジェ》）と呼んでいたが、２

012年から「ダブルイレブン」（双十一《シュアンシーイー》）と改名した。初年度はわずか27品目5200万元（約10億4000万円）の売り上げに過ぎなかったが、2015年には約4万社が参加し、912億元（約1兆8240億円）を売り上げた。

薇娅も2015年に初めて、自らの商品を「ダブルイレブン」のサイト「天猫《ティエンマオ》」にアップ。一日で1000万元（約2億円）以上を売り上げ、大いに話題を呼んだ。

翌2016年5月、薇娅はアリババと正式に契約し、アリババが運営するネットサイト「淘宝《タオバオ》」の「網絡主播《ワンルオジューボー》」（ネット司会者）になった。日本で言えば、ジャパネットたかたの社員がテレビでやっている、「ハイ皆さん、今日のおすすめ商品はこれです！」という役回りだ。日本と異なる点は、テレビでなくインターネット放送だということだ。

こうしてアリババによって、薇娅のとてつもない才能が開花していった。彼女のもとには宣伝依頼が殺到し、「網絡主播」になってわずか4ヵ月で、彼女の勧める商品の売り上げが1億元（約20億円）を突破したのだ。彼女のギャラも知名度も、うなぎ上りだった。

同年7月、アリババは「網絡主播」トップ10人によるセールスイベントを実施した。1時間で商品を何個売れるかを競うもので、彼女は2万個以上を売り上げて、王者に輝いた。

私が薇娅の存在を知ったのも、この頃だった。中国人の友人が、「わが国に新種のスターが現れた」と言って、1分半くらいの動画を、微信で送ってくれたのだ。私はその圧倒的な存在感に度肝を抜かれ、アップされた動画を次々と観るようになった。

彼女は単独で画面に向かってアピールすることが多いのだが、一番の面白さは「掛け合い」にあった。

例えば、ある農村の特産品の白米を売るとする。彼女は、白米を生産している地元農協の販売員の青年を横に座らせて、「あんたがまず、カメラに向かって宣伝してみなさい」とけしかける。そして青年が、恥ずかしそうに訛《なま》った言葉で語り始めると、その様子を面白おかしくマネしてみせる。

次に、青年を問い詰めていく。「このお米は、柔らかいの？　固いの？」「はい、柔らかいです」「甘いの？　辛いの？　辛いわけないか(笑)」

最後は茶碗に盛ってもらったそのご飯を口にし、顔をアップで撮るカメラに向かって、目を潤《うる》ませてつぶやく。「ああ〜幸せ！」

商品があって、それを薇婭が宣伝するというより、薇婭という強烈なタレントがいて、その周囲に商品が置かれているというイメージだ。かつ彼女は、その美貌の表情や所作を巧みに変えて、上流階級のマダムのように振る舞うこともあれば、場末の物売りを演じることもあった。そして前述のように、どこまでも突き抜けるようなメゾソプラノの美声である。

中国社会というのは、完全な弱肉強食の実力社会で、勝てば官軍である。彼女は中国のネット社会に、「直播帯貨《ジーボーダイフォ》」という新しい世界を確立した。「直播」は「生放送《ライブ》」、「帯」は「持つ」で、「貨」は「商品」。「ライブ販売」という言葉が、一番ピッタリくる邦訳だ。

そんな彼女の存在に目を付けたのは、アリババだけではなかった。習近平主席が号令をかけて進める重要政策「脱貧攻堅《トゥオピンゴンジエン》」（脱貧困）に四苦八苦している官僚たちもまた、着目したのだ。

「5000年の中国歴代王朝で誰も成し得なかった貧困ゼロを2020年までに実現し、（2021年7月の）共産党創建100周年を晴れがましく祝う」――習主席は14億中国国民に対して、そう公約していた。だが実際には、地方へ行けば貧困地区だらけで、困り果てた官僚たちは、地方の産品を薇娅にアピールしてもらおうと考えたのだ。

そこで2018年、三顧《さんこ》の礼で彼女を迎えて「公益直播《ゴンイージーボー》」（公益ライブ）を立ち上げた。効果は抜群で、累計で3000万個もの貧困地区の農産品を売った。

薇娅の番組のライブ中に、アリババ創業者の馬《ば》雲《うん》会長が飛び入りで現れ、彼女に深く感謝の意を伝えたこともあった。何と言っても薇娅は、アリババ最大のイベント「ダブルイレブン」のあり方をも変えたのだ。「薇娅に続け」と、多くのインフルエンサーが現れた。ギャラが高額のインフルエンサーを雇えない会社は、社長自らが「網絡主播」となって、ライブ映像に登場するようになった。日系企業の現地代表らも、そこで自社製品を宣伝した。

数々の表彰を受けた薇娅は、2020年に新型コロナウイルスの影響で中国経済が麻痺《まひ》すると、「復工復産《フーゴンフーチャン》」（仕事と生産の復活）にも助力。同年の「ダブルイレブン」では、一人で6億元（約120億円）も売り上げ、新記録を打ち立てた。まさに「爆売り女王」だった。

2021年に入ると、2月に中国版の『紅白歌合戦』である国民的番組『春晩《チュンワン》』に出演。9月には米『タイム』誌が、「世界で最も影響力のある100人」の一人に選出した。

だが同年8月、前述のように習近平主席が新たな政策「共同富裕」をブチ上げた。それは富裕層の収入を調整するというものだった。この時から彼女の風向きが一転する。

同年12月20日、新華社通信が突然、短文の記事を報じた。

〈浙江省杭州市税務局によれば、「網絡主播」の黄薇（ネット名・薇娅）が、2019年から翌年にかけて個人収入を隠匿《いんとく》し、虚構業務を収入に転換させるなどの虚偽申告により、6億4300万元（約128億円）の脱税を行い、その他で6000万元（約12億円）の税金の申告漏れがあった。よって法律に照らして、黄薇に対する税務行政上の処理処罰を決定した。追徴課税、滞納金並びに罰金を合わせて、13億4100万元（約268億円）を課した〉

この日をもって、薇娅は忽然《こつぜん》と世間から姿を消した。アップされていたネット動画も、ことごとく削除された。習近平政権のスローガンである「中国の夢《チャイニーズ・ドリーム》」を実現した中国人が、また一人、「夢」から覚めさせられたのである。

爛尾楼《ランウェイロウ》

古代から漢《おとこ》たるもの、「五子《ごし》」を目指した。すなわち「金子《ジンズ》、房子《ファンズ》、車子《チャーズ》、女子《ニュイズ》、児子《アルズ》」（財産、屋敷、籠車《かごしゃ》、美女、息子）である。

20世紀の末に、朱鎔基《しゅようき》首相が大胆な国有企業改革を断行。それまでの社宅制度を改め、「家は自分で買ったり借りたりするもの」という「新常識」を国民に植えつけた。

直後の2001年、中国は16年もの交渉の末にWTO（世界貿易機関）への加盟を果たし、世界の貿易ルールに従うことになった。それを機に多国籍企業の中国進出ラッシュが起こり、トヨタも2002年に天津で自動車生産を始めた。

こうして21世紀に入って、「房子」と「車子」が復活した。すなわち、全国で空前の「マイホーム＆マイカーブーム」が巻き起こったのだ。

私は２００９年から２０１２年まで、北京に住んでいたが、当時は日々そこここで、高層マンションの販売所が特設されていた。私はそうしたモデルルームを見学するのが好きで、計50軒以上は覗《のぞ》いた。休日ともなるとどこも大賑わいで、販売所の一角では、日本円にして数千万円単位の現金が飛び交っていた。

中国のマンション売買というのは、一般に「モデルルームだけの段階」で全額支払って購入し、不動産業者は購入者から集めた資金で建設していく。購入者は、一括払いできなければ頭金だけ自己資金で払い、残りは銀行の住宅ローン（住房貸款《ジューファンダイクアン》）を組む。

中国の住宅バブルは、「ＧＤＰの25％を担う」と言われた。まずマンションを建設するのに、大量の鉄鋼やセメント、ガラスなどを使用する。客は購入すると、家具や電気製品などを次々に購入する。そしてマンション群の周囲には、コンビニ、スーパー、レストランからスポーツジム、映画館まで、様々な商業施設がオープンする。日本の約26倍もある国土で、おしなべてこうしたことを行ったため、中国経済は飛躍的に成長したのだ。

北京駐在員時代、私はひと月に一度は地方出張へ行っていた。地方都市も建設ラッシュに沸《わ》いていて、ピカピカの高層マンション群がお目見えしていた。国が成長するとはこういうことかと、実感したものだ。

だが、光があれば陰もある。地方出張の際、あれっと思う光景を目にすることがあった。新築マンションの入り口が閉鎖されていたり、壁面のコンクリートの一部がヒビ割れていたり、夜になると電気がついていなかったり……。

２０１０年くらいから、「完成はしたけれども住む人がいない」というマンションが話題になりだした。河北省の唐山《とうざん》や内蒙古《うちもうこ》自治区の鄂爾多斯《オルドス》のように、市の郊外に広大なニュータウンを建設したけれども、その計画自体が頓挫《とんざ》してしまったという都市も現れた。いわゆる「ＧＤＰの無駄使い」だ。

こうしたマンション群を指して、「鬼城《グイチェン》」という新語が生まれた。英語のゴーストタウンの中国語訳である。

ネット上には「鬼城迷《グイチェンミー》」（ゴーストタウンマニア）なるヒマな種族まで現れた。全国の「鬼城」を探し歩いては、写真に収めてアップする。「鬼城迷」の間では、「十大鬼城」「二十大鬼城」などと盛り上がっていた。

だが当時は、ＧＤＰが毎年、十数パーセントも成長するバブル経済の真っ只中である。時たま「鬼城」が生まれても、ネット上で笑っていられるのどかな時代だった。

それが２０１３年、「泣く子も黙る」習近平時代に入ると、状況は一変した。「トラ（大幹部）もハエ（小役人）も同時に叩く」をスローガンに、大規模な粛清が始まったのだ。「腐敗分子」のレッテルを貼られた幹部たちが、次々と失脚していった。その数、５年間で１

53万7000人！

私たち日本の駐在員はそれまで、中国社会にはびこる賄賂《わいろ》を「中国の特色ある消費税」と呼んでいた。賄賂は悪に決まっているけれども、「消費税」を上乗せすれば物事はトントン拍子に進んだ。

それが習近平時代になって、そうした「潤滑油《じゅんかつゆ》」が消えたため、官僚たちは不作為に走り、経済は停滞した。かつ皮肉なことに、「鬼城」は急増したのである。

2015年夏には株価が暴落したり、為替が急落したりして、「鬼城」はどの都市でも「風景の一部」と化した。ただし、「鬼城迷網《ワン》」（ゴーストタウンマニアのサイト）は雲散霧消《うんさんむしょう》した。

ともあれ習近平政権は、「鬼城問題」の解決に向けて、2016年から「供給側構造改革」という新政策を実施した。具体的には、「三つの除去と一つの下降と一つの補強」（生産過剰、在庫過剰、金融リスクの除去、生産コストの低減、脆弱《ぜいじゃく》部分の補強）というもので、全国のマンション在庫をなくすよう指令が下った。

そのための方策として、「一家で一軒」の方針が徹底されるようになった。同年末の中央経済工作会議（翌年の経済方針を決める重要会議）で、習主席は「家は住むものであって、投機するものではない」（房子是用来住的、不是用来炒的）と強調。習主席はこの言葉を、2017年10月の第19回共産党大会のスピーチでも力説し、流行語となった。

だが、問題はさらに悪化した。必死にマンション価格の高騰を抑えても、庶民の年収の何十倍もするので、やはり「高嶺《たかね》の花」なのだ。また投機を禁じたせいで、在庫はさらに積もってしまった。そして2020年にコロナ禍がやって来た——。

2021年秋、ついに恐れていた事態が起こった。広東省に本社を置く中国不動産業界2位の「恒大《こうだい》グループ」の資金繰りが悪化したのだ。

恒大の2020年の売上高は5072億元（約10兆1440億円）に上っていた。中国280ヵ所以上に支部を持ち、従業員20万人。2021年の「フォーチュン・グローバル500」（世界500大企業）で122位の巨大企業だ。河南省の貧困層から身を起こした創業者の許家印《きょかいん》会長は、「広州の皇帝」と崇《あが》められ、中国で一番人気のプロサッカーチーム「広州恒大」（現・広州FC）も保有していた。

許会長の言葉で最も有名なのは、「買買買《マイマイマイ》、合合合《フーフーフー》、圏圏圏《チュエンチュエンチュエン》、大大大《ダーダーダー》、好好好《ハオハオハオ》」。「買収と合併によって仲間（圏）を増やして大きくなり、好《よ》くなっていく」という意味だ。各字を三つ重ねにしているところが、イケイケドンドンの許会長の性格を表していた。

そんな恒大が突然、破綻の危機を迎えてしまったのだ。破綻すれば「中国版リーマンショック」になる可能性があった。中国政府も焦り、不動産から電気自動車まで8部門ある恒大グループを解体して他社への買収を誘導するなど、ソフトランディング化を図った。

ところが不動産業界では、「25社リスト」なるものが出回った。恒大のようにいつ破綻してもおかしくない業界大手・中堅の会社が、25社もあるというのだ。私もそのリストを入手したが、そこには25社の詳細な内部事情が記されていた。

さらに2022年になると、住宅ローンの返済拒否運動が顕在化した。不動産会社の資金繰りが悪化して、マンション建設を途中で放棄してしまうケースが相次いだ。これに怒った購入者たちが、銀行へのローン返済を拒否するというものだ。

蒼《あお》くなったのは銀行である。中国人民銀行（中央銀行）によると、同年6月末時点での個人向け住宅ローン残高は38兆8600億元（約777兆円）で、全貸出残高の約2割を占める。うち2兆元（約40兆円）が返済拒否に遭うリスクがあると、中国で最も伝統がある広発《こうはつ》証券が試算したのだ。

というわけで、「爛尾楼」という新語が生まれた。「爛」は「腐る」、「尾」は「おしまい」、「楼」は「マンション」。直訳すると「おしまいが腐ったマンション」——1年以上にわたって工事がストップしているマンションのことを指す。

「あなたの家の周りに『爛尾楼』はないか？」——SNS上でそんな問いかけが起こると、たちまち全国各地から「ある、ある」との回答が殺到した。

中国自体が「爛尾国」とならぬことを。

第5章　気になる隣人「日本人」

凡学《ファンシュエ》

これから種明かしをする前に、「凡学」の意味するところを察知できる読者がいたならば、私は脱帽し、ペンを置いてその方に解説役をお譲りしたいくらいだ。

古代の仏典を記した文字を「梵語《ぼんご》」（サンスクリット語）と呼ぶから、「凡学」とは何やら仏教用語のような？

いえいえ、違うのである。

1972年から翌年にかけて、当時まだ20代前半だった漫画家・池田理代子が、少女漫画誌『週刊マーガレット』に、『ベルサイユのばら』を連載した。1789年のフランス革命を背景に、男装の麗人《れいじん》オスカルや、フランス王妃マリー・アントワネットらの愛とロマンを描いた歴史ドラマである。

1972年の日本を振り返れば、2月に札幌冬季オリンピックが開かれ、「日の丸飛行隊」が目覚ましい活躍を遂げた。5月にアメリカから沖縄返還、7月に「日本列島改造

論」を掲げた田中角栄内閣発足、9月に日中国交正常化と、新たな時代に向けて突き進んでいった。

こうした華やかな時代背景とマッチし、日本に「ベルばらブーム」が巻き起こった。単行本は累計2000万部を超える大ヒットとなり、その後、舞台化、テレビアニメ化、映画化された。

当時、小学校低学年だった私にとって、『ベルサイユのばら』は、生まれて初めて読んだ少女漫画だった。同級生の女の子たちが、読み終わった後に手垢《てあか》のついた『週刊マーガレット』を貸してくれた。一種の背徳感も混じり、ドキドキしながらページをめくったものだ。

そんな人気作品を、中国が黙って見過ごすはずがない。中国は長く海賊版の無法地帯時代が続いたが、1991年に著作権法を施行。翌1992年に万国著作権条約とベルヌ条約（文学的及び美術的著作物の保護に関するベルヌ条約）に加盟し、海外作品の翻訳出版ブームが到来した。

そのブームに乗って1992年、『ベルサイユのばら』の中国大陸版翻訳権を、中国文《ぶん》聯《れん》出版社が買って出版。中国でも「ベルばら人気」に火がついた。「七〇後《チーリンホウ》」（1970年代生まれ）や「八〇後《バーリンホウ》」（1980年代生まれ）の中国人女性には、この作品の影響を受けて育った人が少なくない。

思えば、30年前の中国というのは、開放感に溢《あふ》れた時代だった。１９９２年の年初に、最高実力者の鄧小平氏が、87歳の老体に鞭《むち》打って、自らが創った広東省の経済特区・深圳《しんせん》を視察。「改革開放を加速せよ！」と号令をかけた（南巡《なんじゅん》講話）。そして同年10月の第14回共産党大会で「社会主義市場経済」を党是に決め、翌年3月には憲法第15条に定めた。まさに「世界のよき文化を取り入れて学ぼう」という気概に満ちていた。

だが、１９９７年2月に鄧小平氏が死去すると、翌3月に開かれた「両会《リアンフイ》」（全国人民代表大会と中国人民政治協商会議）の会期中に、江沢民主席が、「わが国の青少年は日本の漫画文化に毒されている」と一喝。以後、日本の漫画は事実上、出版禁止となった。

私が北京駐在員として版権ビジネスを行っていた10年ほど前も、漫画の版権を売れないので、四苦八苦したものだ。窮余《きゅうよ》の策として、北京の「漫画・アニメの聖地」中国伝媒《メディア》大学に「漫画学校」を開講したりした。日本の漫画家を北京に招待して講師をお願いし、「漫画の描き方」をビジネスにしたのだ。

中国で日本の漫画は、いまに至るまで苦難の時代が続いている。最近では、世界的人気を呼んだ『進撃の巨人』さえ、禁書扱いとなった。

話を、旧《ふる》き良き時代の『ベルサイユのばら』に戻す。この中国語版のタイトルは、「凡《ファン》爾賽玫瑰《アルサイメイグイ》」。「凡爾賽」は「ベルサイユ」の音訳で、「玫瑰」は「バラ」の意だ。
もうお分かりだろうか？　「凡学」とは「凡爾賽（玫瑰）文学」、つまり「ベルサイユ（のばら）文学」の略語なのである。

2020年5月、「ベルばら世代」の「小奶球《シアオナイチウ》」というペンネームの中国人女性が、微《ウェイ》博《ボー》（中国版ツイッター）で、「ベルサイユ文学」について自説をぶった。この投稿が、同世代の中国人女性たちを中心に話題を呼び、彼女は「『ベルサイユ文学』の創始者」と称されるようになった。加えて「ベルサイユ文学」という新語が、この年の「ネット流行語」になったのである。

では「ベルサイユ文学」とは何か？　それは、文学作品のジャンルではなく、ある形態のネットやSNS上の投稿文を指す。広東省広州に本社を置く有力紙『南方週末』（2020年7月30日付）のインタビューを受けた小奶球氏は、「ベルサイユ文学」について、こう解説している。

「SNSで毎日、高級ホテルや贅沢《ぜいたく》品、ワインなんかについて、アップしている人がいますよね。行間に優越感が滲《にじ》み出ているものです。

これが、日本の漫画『ベルサイユのばら』的感性なんです。それで私は、そうした人たちの投稿文を『ベルサイユ文学』と呼んで、皮肉ってやりたくなったのです。

『ベルサイユ文学』は、次の3要素に総括できます。第一に、先に抑《おさ》えて後で持ち上げる。もしくは表面的に貶《おとし》めて実際には褒め上げる。第二に、自問自答し、評者たちが揃って認めてくれのを喜ぶ。第三に、臨機応変に第三者の視点を活用し、他人の口を借りて自分を称賛させる。

要は一種の、『身在福中不知福《シェンザイフージョンブージーフー》』（自分が幸福の中に身を置いていながら、幸福であることが分かっていない）とでも言うような、淡く虚《うつ》ろで傷ついた状態なのです」

彼女は同紙で、「ベルサイユ文学」の具体例も挙げている。

「旅行先のイタリアでスーパーに立ち寄ったら、身なりのいい老人にイベリコ豚のベーコンを勧められちゃって。でもこれが、ミネラルたっぷりの草原で育った黒豚１００％の血統書付きで、甘酸っぱい味がするの」

「夫がシャネルのバッグを買ってくれたんだけど、何て見栄《みば》えが悪いものを買ってくれたのかしら。私、思わず夫に文句言っちゃったのよね」

彼女が火付け役となって、ネットやＳＮＳ上では、こうした「ベルサイユ文学」を見つけ出しては、皮肉を込めて論じ合うことが流行し始めた。

そんな中、「代表的ベルサイユ文学作家」と勝手に評されたのが、１９９０年生まれの女性作家・蒙淇淇《モンチーチー》だ。このペンネームは、おそらく日本の人形「モンチッチ」から取ったものと思われるが、彼女は自らの「微博」に、例えばこんな文章をアップしている。
「3年前に初めて、高級別荘地区に入った時は、そこで会った御婦人に『何号室の方ですか？』なんて聞いちゃったの。そしたら『マンションではあるまいし、ここは一棟《ひとむね》ごとになっているのよ』とたしなめられちゃったわ。でも最近は、私の方が他人から、同じ質問をされるのよね」
　彼女はいまでは、「ベルサイユ文学作家」を自称し、フォロワーを増やしている。
「凡学」が流行語になって以降、そこからいくつもの派生語が生まれている。その一部を紹介すると――。

凡人《ファンレン》……他人の目を気にすることもなく、日々「ベルサイユ文学」をアップし続ける富裕層。

凡体《ファンティ》……「ベルサイユ文学者」（凡人）と化してしまった贅沢《ぜいたく》な身体。

凡言《ファンイエン》……「ベルサイユ文学」的な文体、言葉遣い。「凡語《ファンユイ》」も同意。

凡量《ファンリアン》……その人の「ベルサイユ文学」的な度合い、染まり具合。

　庶民がこんな形で、羨望《せんぼう》の的である富裕層を皮肉るのは、ある意味「健全な遊び」なのかもしれない。庶民はそれによって憂《う》さを晴らし、富裕層にも実害はないからだ。
　ただ、中国貴族文学の最高傑作『紅楼夢《こうろうむ》』に感銘を受けた「紅迷《ホンミー》」（『紅楼夢』ファン）世代の私としては、どうも「文化の後退」が起こっているように思えなくもない……。

迷惑行為《ミーフォシンウェイ》

日本政府が、中国人の個人観光ビザを解禁したのは、2009年7月のことだった。前年の暮れに、中国を代表する馮小剛《ふうしょうごう》監督の恋愛映画『狙った恋の落とし方。』(原題は『非誠勿擾《フェイチェンウーラオ》』)が空前のヒットを飛ばし、ロケ地となった北海道への憧憬《どうけい》が高まっていた。この時から堰《せき》を切ったように、中国人観光客が日本へ押し寄せるようになった。

ビザが解禁になった頃、私は北京に住んでいた。新しいもの好きの友人のカメラマン(当時30歳の北京人男性)が、早速ビザを取って、5日間の東京一人旅に行ってきた。彼は帰国するや、興奮冷めやらぬ様子で、私に体験談を語った。

「何に感動したって、一番は深夜の池袋のラーメン屋だ。日本語ができない私は少々緊張したが、一人で店に入ってみた。店は満席で、待合席に案内された。それで10分くらい、

最後尾に座って待った。

その間、店内を見ていると、食べ終わった客が立ち上がるたびに、三方から店員たちが飛んできて、わずか10秒くらいでテーブルを片付け、布巾《ふきん》で拭《ふ》く。そしてテーブルをピカピカにして、次の客を招き入れるのだ。その光景を見ていて、『これぞ先進国の姿』と感心した」

彼の話を聞いて、私はきょとんとしてしまった。客が食べ終わって席を立ったら店員がテーブルを片付けるのは、当たり前ではないか。

その後、「中国人の視点」は、われわれ日本人とは異なることに気づいた。

私が北京で行っていた業務の一つに、中国の文化産業関連企業のコーディネートがあった。彼らが日本へ視察に行く際、ビザの取得に始まり、視察場所やホテルを手配したり、通訳を兼務して添乗員をしたりするのだ。

10人前後のツアーが多く、出発日の朝、北京首都国際空港の航空会社のチケットカウンターで待ち合わせるのだが、そこから私の頭痛が始まる。

まず、約束の時間になっても、だいたい二人は現れない。携帯電話にかけると、一人は寝坊、もう一人は空港の別のターミナルへ行ってしまっていたりする。日にちを勘違いしていた人もいた。また約束の時間に集まっても、パスポートを忘れてくる人がいる。ともかく全員遺漏《いろう》なく東京へ向かえたというケースは、少なかった。

東京に着いてからも、企業視察などにはあまり熱が入らず、もっぱらの興味は、ショッピングと食事である。それは構わないのだが、個々人の自己主張が強烈なので、最終日になると私は疲労困憊《こんぱい》し、そのまま東京で骨休みしたい気持ちにかられたものだ。

そんな中国人ツアーで、彼らが興味を持って記念写真を撮る「意外な場所」が、2ヵ所あった。

1ヵ所は、東京の街中に置いてある自動販売機である。当時の中国には自動販売機がなかったので、物珍しくて仕方ないのだ。

自動販売機を前にして、彼らは主に、3つの質問をしてくる。

「こんなに多くの商品を取り扱っていて、コインが詰まったり商品が出てこなくなることはないのか？」

「こんな人気《ひとけ》のない場所に置いてあって、深夜に金や商品が盗まれる心配はないのか？」

「自動販売機の脇には必ず缶やペットボトルを捨てる箱が置いてあるが、飲んだ人はきちんとそこに捨てるのか？」

彼らが感心するもう1ヵ所は、住宅街の角などに設置されたゴミ捨て場だった。そこには、「月曜日は燃えるゴミ、火曜日は燃えないゴミ……」などと書かれた掲示が貼ってある。時には中国語も併記されていたりして、目を見張るのだ。

北京では、2008年夏にオリンピックを開催するにあたり、大通りのゴミ箱が「燃えるゴミ」と「燃えないゴミ」に分別された。それ以来、私も分けて捨てていたのだが、ある深夜、ゴミ収集車が収集しているところを目撃した。清掃員がゴミ箱のフタを開けると、「分別」されているのはゴミの投入口だけで、中の袋は一つだった！

ともあれ、中国人の間で、日本は圧倒的に人気ナンバー1の旅行先となった。日本にとって嬉しいことは、彼らの「爆買い」で日本経済が潤《うるお》ったということもあるが、日本を訪れた中国人がほとんど「親日派」になったことである。彼らは歴史教科書や抗日ドラマの影響で、日本人をまるで鬼か悪魔のように思いながら育っている。それが実際に足を運んでみると、かくも心優しい人たちだったのかと評価を一変させるのだ。

加えて、「干浄《ガンジン》・安静《アンジン》・安全《アンチュエン》」が日本の代名詞となった。「干浄」とは「きれい」「清潔」という意味だ。

中国では一時期、日本旅行を「洗肺遊《シーフェイヨウ》」と呼んでいたほどである。直訳すると「肺を洗う旅」。PM2・5のスモッグに悩んでいた中国人は、羽田空港や関西国際空港などに降り立ったとたん、大きく深呼吸をし、肺を洗う旅を始めるというわけだ。

そのような日本旅行ブームから生まれた流行語が、「迷惑行為」である。中国人が日本旅行に出かける際、スマホに送られてくる電子版パンフレットに、「次の行為は日本へ行ったら、『迷惑行為』(没有公徳的行為《メイヨウゴンダーダシンウェイ》)と受け取られますので慎んで下さい」と書かれているのを見たことがある。「迷惑行為」という中国語はないのだが、和製漢字語がエキゾチックなのであえて記し、中国語の訳語を添《そ》えたのだ。

すると、日本旅行から帰った中国人たちを中心に、中国の日常の光景を動画や写真で撮影し、「私が見た『迷惑行為』」などというタイトルをつけて、「抖音《ドウイン》」(TikTok)にアップするようになった。そのうち、日本へ旅行に行っていない人もアップしだした。

犬の散歩中に平気で糞《ふん》を道に撒《ま》き散らしたまま立ち去る人、暑いからと上半身裸のままバスに乗ってくる人、レストランのトイレで液体石鹸を使い尽くしてしまう人……。「このあなた、『迷惑行為』です!」という音声や文字が入っていたりして、ユニークな映像に思わず苦笑してしまう。

私は週に一度、明治大学で300人近い学生に「東アジア国際関係論」を教えている。数年前の学生で、高級ブランドに身を包んだ中国人女子留学生がいた。富裕層のお嬢さんと思っていたら、ひと月に100万円も稼ぐ「網紅《ワンホン》」だという。「網紅」とはネット動画のインフルエンサーのことだ。

彼女がアップしていたのが、まさに中国人観光客の「迷惑行為」だった。授業が終わると、新宿や渋谷など中国人観光客が多い場所へ行き、こっそりと「迷惑行為」を撮って回る。それを自宅で編集し、「今日はこんな『迷惑行為』を発見！」とアップするのだ。

実際に彼女が撮った動画を見せてもらったが、通りで大声で話すシーンだったり、レストランの看板を勝手に動かして記念写真を撮っていたり……。

ともあれ、コロナ前の２０１９年には、９５９万４３９４人もの中国人観光客が日本を訪れ、クルーズ客の人数を除いた７９９万５８１５人分だけで１兆７７０４億円も消費した。消費総額は外国人観光客全体の36・８％にあたり、中国人一人あたりに換算すると21万２８１０円（観光庁発表）。まさに「爆買い」中国人の威力を見せつけたのだった。

だが、この頃になると、気になることも出てきた。例の日本旅行者向け電子版パンフレットには、こう記されていた。

〈「20世紀を懐《なつ》かしむ旅」へようこそ。日本ではごく一部で、中国のスマホ決済が使えますが、日本人はいまだ20世紀のように現金で支払いをしています。そのため、まず財布を買って下さい（もう中国には売っていない？）。ホテルでも20世紀のようにカギを渡されます。またタクシーを拾う際も、20世紀のように路上で手を挙げて拾って下さい。日本のコンビニには、紙の新聞や雑誌がたくさん置かれています。

他にも多くの場所で、「20世紀的光景」を目にすることができます……〉

錦鯉《ジンリー》

2021年12月19日に行われた「M－1グランプリ 2021」決勝で、「錦鯉《にしきごい》」が、全国6017組のエントリーの中で頂点に立った。「錦鯉」は、当時50歳の長谷川雅紀と、43歳の渡辺隆が組む漫才コンビで、17回目の大会で史上最年長の優勝となった。

7人の審査員のうち、5人が「錦鯉」に投票した時、テレビを観ていた私は思わず、「なぜだ？」と口走った。私には、この自分と同世代の気ぜわしいコンビの面白みが、とんと理解できなかった（スミマセン）。

私見では、決勝に残った10組のうち、天才的な感性を持ち合わせていたのは、「オズワルド」だった。まさに10年にひと組の逸材！

だが、「オズワルド」に投票した審査員は、オール巨人だけだった。旧知の巨人師匠に会って訊ねると、「才能が群を抜いていて、誰にもマネできないレベルだった」と語った。

そして二人でしばし、〝オズワルド談義〟に耽《ふけ》った。

なぜ門外漢の私が、漫才にそんなにウルサイのかと言えば、私は北京に暮らしていた時分、「相声《シアンシェン》」（中国漫才）にハマっていたからだ。北京ではラジオで、事実上の「相声専門チャンネル」があって、いつどこでタクシーに乗っても、運転手はボリュームを全開にして「相声」を聴いている。客がどう思おうがお構いなしで、ハンドルを握りながら「ギャハハー」と笑いこけたりする。

「中国を識《し》るには庶民の喜怒哀楽《きどあいらく》を知れ」──この鉄則に従い「相声研究」を始めたが、これが実に奥深い世界なのだ。

「相声」は、北京・天津・南京が「3大本拠地」である。北京はカッコウつけすぎで、南京は距離的に遠い。というわけで、私のお気に入りは、泥臭い演芸が売りの天津だった。

休日になると、窮屈な北京を抜け出し、高速鉄道でひと駅の天津まで行って、「相声の殿堂」名流茶館に入り浸ったものだ。一流の「相声」には、中国大陸の黄土が醸《かも》し出す「匂い」が詰まっている。笑いはもとより、中国文化の深遠さに感涙したこともあった。

当時の私は、多くの日本文化と同様、漫才のルーツも中国の「相声」ではないかと睨《にら》んでいた。だが実際には、それぞれの発展時期から見て、必ずしもそうとは言えない。

ちなみに日本芸術文化振興会のホームページでは、漫才（万歳）のルーツをこう記す。

〈万歳は新年にめでたい言葉を歌唱して、家の繁栄と長寿を祈る芸能である「千秋万歳《せんずまんざい》」を略した呼び方だといわれています。祝福芸の万歳は日本各地に広まり、それぞれの地域に根づいて地方色を出しながら継承されました〉

それで、「M－1グランプリ」を優勝に導いた魚「錦鯉」の話である。中国語では当然ながら「にしきごい」とは読まず、「ジンリー」と読む。

古代中国において、鯉は、キリスト教における天使のような存在と信じられてきた。すなわち、地上と天界とを橋渡しする「神聖な魚」だ。

例えば、前漢時代（紀元前202年～後8年）に書かれたと言われる『列仙伝』には、鯉の背に乗った人が昇天し、仙人になるという伝説が記されている。続く後漢時代（25年～220年）に書かれた『三秦記《さんしんき》』は、鯉が飛び跳ねて、天界の龍門に至るというストーリーだ。

その後も、鯉はめでたい詩句に、たびたび登場してきた。そんなことから、中国の貴族たちが、自宅の庭の池で鯉を泳がせるようになった。

こうした中国貴族の習慣が日本にも持ち込まれ、「鯉のぼり」の風習とともに、平安貴族の寝殿造りなどに生かされた。だが「泳ぐ芸術品」と仰がれる錦鯉は、江戸時代に新潟県で登場した日本発祥である。

「庭に錦鯉」と言えば、最も有名なのは、東京・目白の田中角栄元首相邸だろう。

角栄氏を撮り続けたカメラマンの山本皓一《こういち》氏から聞いた話によれば、角栄氏は日中に重要な来客があると、庭に案内した。そして、広々とした池を泳ぐ錦鯉にエサを撒《ま》きながら話をしたという。相手はその貫禄に圧倒されて、術中にハマるというわけだ。

1982年の晩秋、「北海のヒグマ」こと中川一郎科学技術庁長官が、来たる自民党総裁選への出馬支持を取り付けるため、角栄邸を訪問。池の錦鯉を見ながら切り出した。

「鯉（自分）が跳《は》ねてもいいでしょう」

すると、中曽根康弘候補を推していた角栄氏は、一刀両断した。

「跳ねてもいいが、池の外に飛び出したら、それきり日干《ひぼ》しになるぞ」

実際、中川氏は強引に出馬したが、中曽根氏に大差で敗れ、直後に地元北海道のホテルの部屋で縊《い》死《し》した。

中国の話に戻ろう。もしかしたら田中角栄首相に影響されたのかもしれないが、1972年9月に田中首相が訪中して、日中国交正常化を果たして以降、北京で錦鯉を飼い続けている日本人がいる。

それは、日本国駐中国特命全権大使。北京東部の亮馬橋《りょうまばし》にある日本大使公邸には、広大な日本庭園があり、その池には悠々と錦鯉が泳いでいるのだ。

日本大使公邸でパーティが催された際、招待された中国人たちが、うっとりと錦鯉に見入っている姿を、私は何度となく目撃している。彼らはこう呟《つぶや》いていた。

「自分もいつかこんな豪邸に住んで、錦鯉が泳ぐ花園《ホアユエン》（庭園）を散歩したいものだ」

彼らの目には、日本発祥で「水中活宝石《シュイジョンフオバオシー》」（水中の生きる宝石）と形容される錦鯉が、「金満日本の象徴」と映っていたのだ。

ところが2010年頃から、中国人の発言は、微妙に変わっていった。

「先日訪問した友人の別荘と『差不多《チャーブドゥオ》』だな」……。

「差不多」とは「差が多くない」「似たようなもの」という意味だ。中国でも、庭の池に錦鯉を飼うような富裕層が、続々と出てきたのである。実際に私も、北京人の知人が北京西郊に買った別荘に遊びに行ったら、「池ではなく湖だろう」と思えるようなものを拵《こしら》えていた。そこでは錦鯉だけでなく、自宅で食する豚などまで飼っていた。

そんな中、2018年の国慶節（10月1日の建国記念日）前に、アリババが運営するアリペイ（支付宝）の公式「微博《ウェイボー》」で、「あなたが中国の錦鯉になるのを祝おう」と題したイベントが行われた。アリババのサイトで掲示された商品や旅行などが、抽選で当たるという企画だ。

国慶節の連休明けに抽選結果が発表され、当たった人々は「中国錦鯉《チョングオジンユイ》」と称された。そこから、「錦鯉」という言葉がたちまち流行語になった。「幸運をもらった人」「富裕になった人」という意味だ。

これは私の推察だが、アリババのイベントで「中国錦鯉」なる冠《かんむり》を付けたのは、同社の創業者である馬雲会長（当時）本人ではなかったか。浙江省《せっこうしょう》杭州《こうしゅう》にある通称「馬雲御殿」を訪れた私の知人によると、御殿の中には畳敷きの和室と日本庭園があって、池には最高級の錦鯉が泳いでいたという。日本贔屓《びいき》で知られる馬雲氏は、「重要なことは静謐《せいひつ》な『日本的空間』の中で考える」と吐露《とろ》したそうである。

そんな馬雲氏も、手塩にかけて育てたアントグループ（螞蟻集団《マーイー》）が、香港と上海市場で上場する予定だった2日前の2020年11月3日、中国当局によって「待った」をかけられてから、ケチがつき始めた。公の場にほとんど出なくなり、アリババの知人に聞いたら「御殿で蟄居を余儀なくされている」とのことだった。

2021年8月、前述のように習近平主席が「共同富裕」を高らかに宣言すると、「これは新興富裕層の象徴的存在であるアリババを標的にした政策だ」とも囁《ささや》かれた。当のアリババは間髪入れず、「5年で共同富裕資金1000億元（約2兆円）の投資」を発表。2022年の1～3月期は最終損益が赤字に転落し、4～6月期も純利益が前年同期比で半減した。

錦鯉はいつのまにか、「まな板の上の鯉」になってしまった。

融梗《ロンゲン》

中国は、言わずもがな漢字の国である。まえがきでも述べたが、中華民族は漢字を紡《つむ》いだ神話や物語を子々孫々へと語り継いで、こんにちまで生き延びてきた。

いまで言う国家公務員試験にあたる「科挙《かきょ》」は、隋《ずい》の文帝が587年頃に始め、清末の1905年頃まで続いたが、その出題内容は法律や経済ではなく、「四書五経」（大学・中庸・論語・孟子、易経・書経・詩経・春秋・礼記）の理解だった。私が留学していた頃の北京大学でも、文系の最高峰（最難関）は法学部や経済学部ではなく、中国文学学科（人文学部中国語言文学系）だった。そこに1979年に16歳で入学し、首席で卒業したのが、「ポスト習近平」と目される胡春華《こしゅんか》副首相である。

新中国の「建国の父」毛沢東主席も、法律や経済にはとんと無頓着《むとんちゃく》で、ひたすら古今の中国文学を読み漁《あさ》って、政治に活かした。

建国8年後の1957年、20世紀中国を代表する作家の一人、巴金《はきん》（1904年〜2005年）が中心になって、上海で隔月刊文学誌『収穫』を創刊した。続いて、改革開放政策が始まる直前の1978年8月、北京出版社が新時代の文学誌『十月』を創刊した。

以後、上海の『収穫』と北京の『十月』が、中国の文学界を牽引した。王蒙《おうもう》、老舎《ろうしゃ》、李《り》存葆《そんほ》、王安憶《おうあんおく》、王朔《おうさく》、余華《よか》、それに2012年に中国大陸の作家として初めてノーベル文学賞を受賞した莫言《ばくげん》など、著名な作家の多くが、この2大文学雑誌から羽ばたいていった。

私は4年の北京生活を送ったせいか、『十月』のファンで、定期購読していた。同誌の編集長と酒を飲み交わし、中国文学談義に耽《ふけ》ったこともある。中国文学というのは、底無し沼のように奥深い「漢字の芸術」である。

ところが21世紀に入ると、中国文学界にひたひたと「異変」が起こり始め、2010年代に「大噴火」した。もはや若者たちは『収穫』や『十月』には目もくれなくなった。では何を読むのか？　それは「網絡小説《ワンルオシアオシュオ》」である。「網絡」はインターネットのことだ。

2000年代の半ば、外資系企業の幹部である中国人女性が、李可《りか》というペンネームで、網絡小説『杜拉拉昇職記《ドゥラーラーシェンジージー》』を連載した。「杜拉拉」という広東省の大手外資系企業に勤めるOLが、出世（昇職）を遂げていくサクセス・ストーリーだ。

この小説は評判を呼び、2007年に陝西《せんせい》師範大学出版社が紙の本として出版。たちまちベストセラーとなり、4巻まで続編が作られた。同時にテレビドラマ化や映画化もされた。

私が北京駐在員だった時分、部下の中国人女性たちは、ほぼ全員が『杜拉拉』にハマっていて、彼女を自分たちの理想像のように捉えていた。確かにドラマで杜拉拉を演じた王《おう》珞丹《らくたん》の天衣無縫《てんいむほう》な演技は当たり役だったし、それにも増して小説の自由奔放な文体に衝撃を受けた。それは私がそれまで目にしてきた『収穫』や『十月』の文体から、明らかに「変異」していた。

実際、中国文学界にも衝撃が広がった。『杜拉拉』のような作品が次々と現れ、「網絡小説」のベストセラーが紙の本として出版されるという流れが起こり始めたからだ。2013年以降、中国がスマートフォン時代に入ると、小説そのものの発表の場が、紙媒体からネット媒体へと軸足を移すようになっていった。

こうした潮流は、中国の出版界にも革命を起こした。中国では1990年代以降、雨後の筍《たけのこ》のように各業界に民営企業が勃興《ぼっこう》していったが、出版業界は開放されなかった。そのため、全国約500社の老舗《しにせ》の国有出版社だけが出版権を有していた。

彼らは、新聞出版総署（現・国家広播電視総局）という中央官庁の検閲を受けた後に発行される「書号《シューハオ》」を奥付に付けて出版する。「書号」の発行件数は毎年決まっているので、限られた作家しか小説を出版できない。

ところが「網絡小説」の世界は、お上が規制を作る前に、勝手に増殖してしまった。「網絡小説」の編集プロダクションの側からすれば、経費は基本的に原稿料だけなので、玉石混淆《ぎょくせきこんこう》大いによろしというわけで、多種多様な筆者に発表の場を与えた。

作家の側からしても、分量の制限を受けず、読者の閲覧ページ数に応じて原稿料が支払われるため、長編小説をどんどん書いた。読者の側も、サイトに月決めで料金を支払ったり、小説ごとに一定ページ以降に課金されたりする明朗なシステムなので、安心だった。

興味深いのは、読者の反応を見ながら「網絡小説」の内容が変化することだった。例えば、Aという正義の味方がBという悪役を退治する勧善懲悪《かんぜんちょうあく》物語のはずだったのが、途中でBのキャラクターの人気が高まってきたので、Bが主人公に成り代わるといったことだ。

また当局の方も、「共産党批判、エロ描写、暴力描写」という「三悪」が含まれない限り、強い規制をかけなかった。ある官僚は私に、こう言い放った。「これだけ若者の失業者が多い時代に暴動一つ起こらないのは、『網絡小説』の空間を開放してやっているからだ」

いまでは、「網絡小説」の世界は細分化され、大略次のような分類になっている。

「玄幻」(幻想)、「武俠」(武道任俠)、「仙俠」(仙術)、「奇幻」(魔法使い)、「科幻」(SF)、「都市」(都市生活)、「言情」(伝奇恋愛)、「歴史」、「軍事」(戦争)、「遊戯」(ゲーム)、「体育」(スポーツ)、「霊異」(ホラー)、「同人」、「耽美」(BL・同性愛)、「二次元」(転生)……。

まるで14億中国人の多くが、作家に転身したのではと思われるほど、百花繚乱《ひゃっかりょうらん》である。

ところが、一つ大きな問題が起こってきた。それは、これだけ多くの作品がネット上に溢れ返ると、その中に、いわゆる「パクリ小説」と指摘されるものが散見されるようになってきたことだ。

例えば、2016年に玖月晞《きゅうげつき》（おそらく「吸血鬼」の音訳）というペンネームの作家が発表した『少年的你、如此美麗』（邦題は『少年の君』）は、2019年に香港出身の曽国祥《デレク・ツァン》がメガホンをとって映画化し、大ヒットした。そんな中、「この作品は東野圭吾の『白夜行』や『容疑者Xの献身』などのパクリだ」という声が続出したのだ。

東野圭吾と言えば、中国で最も人気の高い日本人作家である。私は北京時代、年間約150冊の日本の書籍の中国大陸版権を中国の出版社に売っていたが、東野圭吾の作品は、他の数十冊分の版権料に匹敵した。その人気はケタ外れなだけに、「東野作品のあの場面にソックリだ」と指摘できるファンは多いのである。

だが、ネット上で騒動になっている間にも、映画はヒットを続け、中国国内では青春映画として歴代トップの15億5800万元（約312億円）の興行収入を上げた。また「香港のアカデミー賞」香港電影金像奨の作品賞にも輝いた。その間、関係者は一様に沈黙を保っていた。

「パクリ」もしくは「パクる」という中国語は、一般に「抄襲《チャオシー》」もしくは「洗稿《シーガオ》」である。ところがこの時、ネット上で「融梗《ロンゲン》」という新語が誕生した。今回のケースは「抄襲」ではなくて「融梗」だというのだ。

「融」は「融《と》け込ませる」で、「梗」は「茎《くき》」、転じて作品の「骨格」や「サビの部分」「笑いのツボ」などを指す。よって「融梗」は「別の作品の骨格やサビの部分を融け込ませた作品」ということになる。

昨今、日本の作品の「パクリ」のような中国の「網絡小説」が少なくないことに関して、旧知のある中国の大手出版社編集長を問い詰めてみた。すると彼は、こう釈明した。

「仮に一枚の紙に絵が描いてあったとする。それを別の紙に写生して発表すれば、『抄襲』だ。ところが写生した後、その紙をハサミでいくつかの部分に切り分け、バラバラにして再び適当に貼り合わせたら？　それは法的に罰せられる『抄襲』ではなくて、グレーゾーンの『融梗』なのだ。

そもそも古今東西、芸術作品というものは、皆大なり小なりそうやってできてきたではないか」

私は何となくモヤモヤしたが、議論を打ち切った。彼の次のセリフが見えていたからだ。

「われわれ中国人だって、日本人から漢字の著作権料を取っていないぞ！」

恐婚族《コンフンズー》

「恐婚族」の意味するところは、容易に察しがつくだろう。ずばり「結婚を恐れる人々」である。

私がこの新語を初めて知ったのは、２００９年に北京駐在員をしている時分に読んだ『２００８年　中国社会形勢分析と予測』（社会科学文献出版社刊）というお堅い本の一節でだった。曰く、

〈２００６年、上海男性の平均初婚年齢は31・１歳で、女性の平均初婚年齢は28・４歳になった。北京は男性が28・２歳で、女性が26・１歳だ。

今回の調査で、回答した半数近くにあたる44・４％が、「自分は『恐婚族』」と認めている。その多くは『八〇後《バーリンホウ》』（１９８０年代生まれ）だ。

また過半数の51・７％の人が、「『恐婚族』は正常な現象」と認識している。不正常だという観点の人は28・４％だった〉

このくだりを読んで、二重に驚いたものだ。第一に、「恐婚族」なる新語が生まれたこと。第二に、それを正常と考える世代が登場したことである。

「八〇後」は前述のように、いわゆる「一人っ子第一世代」だ。中国の「新人類」と言ってもよい。

この本を読んでまもなく、「本物の恐婚族」に出会った。北京のアニメ・フェスティバルで司会役を務めていた「八〇後」の青年で、日本のアニメから日本語を習得した、いわゆるアニメオタクだ。両親とも北京市政府の幹部だが、彼は親と同じ道を歩む気などなく、アルバイトで資金を蓄えては、半年に一度、「コミケ」（8月と12月に東京ビッグサイトで開催されるコミックマーケット）を見に訪日するのを生き甲斐にしていた。

彼と何度か会食しているうちに、相談を受けた。

「両親が早く結婚しろとうるさいんですが、ボクは『恐婚族』なんです。日本人でもよいので、ボクに合うような女性を紹介してもらえませんか？」

私は、どんな女性が好みか尋ねた。すると彼は、意外な言葉を口にした。

「理想を言うなら、秋葉原のメイド喫茶に勤めているウエイトレスのような女の子ですね。『お帰りなさいませ〜ご主人様！』とか言われると、『このコと結婚したい』と思っちゃうんです」

彼などまだかわいい方だったが、「恐婚族」を相手にビジネスしている男もいた。ある取引先の国有出版社のイケメン社員に、「今度の春節は故郷に帰るんでしょう」と水を向けたら、こう嘯《うそぶ》いたのだ。

「春節期間中は『恐婚族』の女性相手に稼《かせ》ぐんです。つまり、ボクが『疑似彼氏・婚約者』になってあげて、女性の故郷へ行き、両親を安心させる。これを1泊2日でやると、給料の2ヵ月分稼げるので、3回やって半年分稼ぐつもりです」

2010年の正月からは、「『恐婚族』を減らすためのテレビ番組」とも囁《ささや》かれた『非誠《フェイチェン》勿擾《ウーラオ》』（直訳すると「本気でないなら構わないで」）が、江蘇衛視の週末のゴールデンタイムに始まった。司会は当代きってのエンターテイナー・孟非《もうひ》である。

『非誠勿擾』は、たちまち国民的番組に成長した。周囲の中国人たちも週末の夜は、この番組を観て過ごすようになったため、中国人との会食ができなくなった。そこで私も観たら、これは日本のかつての人気番組『プロポーズ大作戦』（1973～'85年まで放映されたバラエティ番組）のパクリではないか!?

ただ、日本の本家と異なる点が二つあった。一つは、『プロポーズ大作戦』のメインコーナーの「フィーリングカップル」は、男女5人ずつだったが、中国版は女性24人に対して、男性はたった一人！　すなわち女性たちが青年を取り囲んで質問攻めにし、青年のことが気に入らない女性から降りていくのだ。複数の女性が青年を気に入れば、攻守逆転して、今度は青年が女性たちを品定めしていく。

もう一つは、晴れてカップルが誕生した際に、ゲストの社会学者らが、「結婚生活の素晴らしさ」などを説くことだ。「恐婚族解消番組」と言われるゆえんである。私はその後、この番組の収録風景をスタジオで見学させてもらったが、2時間の番組を10時間もかけて撮っていて、さらに教育的要素の発言が多かった。

それでは「お化け番組」によって、「恐婚族」は雲散霧消したのか？　コロナ禍になって自宅でヒマしていた2020年、久々にインターネットでこの番組を観て、仰天してしまった。孟非が深刻な顔つきで、こんな発言をしていたのだ。

「ある統計によれば、2008年と2016年を比較すると、『恐婚族』の割合は、22％から66％に増加。また国家統計局と民政部の統計によれば、2019年の全国の結婚登記者数は947万組で、初めて1000万組の大台を割りました。私たちは今時《いまどき》の若者たちの結婚問題を、考え直さねばなりません」

ゲストも、こう解説していた。

「過去には結婚というのは、一種の倫理的な関係を規範としていました。ところが新旧の観念が並立している現在では、新たな倫理規範の出現が待たれているのです。そんな中で、ますます多くの人たちが『恐婚族』になってしまうというわけです」

このように、同番組でも「恐婚族」の増加にさじを投げてしまった感があるのだ。

実際、他にも恐るべき統計が、2021年5月に発表された。中国は10年に一度、西暦で末尾がゼロの年に、全国的な人口調査を行っている。2020年秋に第7回人口調査を実施した結果が出たのだ。

この時、習近平政権は「共産党の指導によって平均寿命が10年前の74・83歳から77・93歳へと3歳以上も伸びた」と強調した。だが、私は別なデータに着目していた。それは、平均初婚年齢と初婚人数だ。それぞれ、以下の通りだった。

平均初婚年齢　2010年　24・89歳(男性25・75歳　女性24歳)

2020年　28・67歳(男性29・38歳　女性27・95歳)

初婚人数　2010年　2200万9000人

2020年　1288万6000人

10年で急激な変化が起こっていることが分かるだろう。北京や上海だけでなく、農村部も含めた初婚年齢は4歳近くアップし、初婚人数は4割以上も減ったのだ。世界最大の人口大国は、この先どうなっていくのだろう?

いや、救いもある。それはまたもや日本に関係するものだ。

私の知人に、東京で大手中国系企業の幹部をしている30代後半の独身中国人女性がいる。先日、彼女は自分が「元恐婚族」と告白した後、こう語った。

「中国でいま、女性の『恐婚族』のバイブルと言われているのが、上野千鶴子(東京大学名誉)教授の『女ぎらい』(中国語版は『厭女《イエンニュイ》』、上海三聯書店、2015年)なんです。私もこの本を読んで感銘を受け、その後、上野教授の著作を片っ端から読破しました。

『結婚とは、「一瞬が永遠に続く」という妄想である』

『結婚の定義とは、自分の身体の性的使用権を、特定の唯一の異性に、生涯にわたって、排他的に譲渡する契約のことである』

まさに名言ではないですか。私は上野教授の本に出会って、『恐婚』を克服できました。女性が独身でいることを、誇りに思えるようになったのです。

いまでは周囲にも、『バイブル』を薦めています」

思えば日本は、中国政府から何かとお叱りを受けることが多い。だが、「恐婚族」の男性にも女性にも、そこはかとなく「癒《いや》し」や「救い」を与えているのである。

中国よ、汝《なんじ》の敵(日本)を愛したまえ!

あとがき

「20大《アルシーダー》」と呼ばれる第20回中国共産党大会（2022年10月開催）で、習近平総書記が異例の「3選」を果たすことで頭が一杯だった同年夏、例によって、同僚の青木肇《はじめ》・現代新書編集長がやって来た。

「例によって」と言うのは、『対中戦略』（2013年）、『中国経済「1100兆円破綻」の衝撃』（2015年）、『パックス・チャイナ　中華帝国の野望』（2016年）、『大国の暴走』（2017年）、『未来の中国年表』（2018年）、『ファクトで読む米中新冷戦とアフター・コロナ』（2021年）と、過去に6冊頼まれた時と、同じ顔つきをしていたからだ。それぞれ中国の「戦略」「経済」「外交」「大国」「人口」「疫病」をテーマにした。

「今度は『言葉』をテーマに書いてほしい。中国語の新語や流行語、隠語などを深掘りし、『ふしぎな中国』を解明していくというコンセプトです」

明白《ミンバイ》（了解）！　こうして、2016年に続き高月順一氏に編集担当をお願いし、一気呵成《いっきかせい》に書き上げたのが本書だ。明治大学の元留学生の教え子で、経営者として成功している趙芸倫氏にもアドバイスをもらった。以上3名と、多数の登場人物に感謝申し上げたい。

近藤大介

講談社現代新書　2680

ふしぎな中《ちゅう》国《ごく》

二〇二二年一〇月二〇日第一刷発行　二〇二三年一二月二二日第四刷発行

著　者　近藤《こんどう》大介《だいすけ》　©Daisuke Kondo 2022

発行者　髙橋明男

発行所　株式会社講談社

東京都文京区音羽二丁目一二―二一　郵便番号一一二―八〇〇一

電　話　〇三―五三九五―三五二一　編集（現代新書）

〇三―五三九五―四四一五　販売

〇三―五三九五―三六一五　業務

装幀者　中島英樹／中島デザイン

印刷所　株式会社ＫＰＳプロダクツ

製本所　株式会社ＫＰＳプロダクツ

定価はカバーに表示してあります　Printed in Japan

N.D.C. 319　222p　18cm

ISBN978-4-06-530012-1

「講談社現代新書」の刊行にあたって

教養は万人が身をもって養い創造すべきものであって、一部の専門家の占有物として、ただ一方的に人々の手もとに配布され伝達されうるものではありません。

しかし、不幸にしてわが国の現状では、教養の重要な養いとなるべき書物は、ほとんど講壇からの天下りや単なる解説に終始し、知識技術を真剣に希求する青少年・学生・一般民衆の根本的な疑問や興味は、けっして十分に答えられ、解きほぐされ、手引きされることがありません。万人の内奥から発した真正の教養への芽ばえが、こうして放置され、むなしく滅びさる運命にゆだねられているのです。

このことは、中・高校だけで教育をおわる人々の成長をはばんでいるだけでなく、大学に進んだり、インテリと目されたりする人々の精神力の健康さえもむしばみ、わが国の文化の実質をまことに脆弱なものにしています。単なる博識以上の根強い思索力・判断力、および確かな技術にささえられた教養を必要とする日本の将来にとって、これは真剣に憂慮されなければならない事態であるといわなければなりません。

わたしたちの「講談社現代新書」は、この事態の克服を意図して計画されたものです。これによってわたしたちは、講壇からの天下りでもなく、単なる解説書でもない、もっぱら万人の魂に生ずる初発的かつ根本的な問題をとらえ、掘り起こし、手引きし、しかも最新の知識への展望を万人に確立させる書物を、新しく世の中に送り出したいと念願しています。

わたしたちは、創業以来民衆を対象とする啓蒙の仕事に専心してきた講談社にとって、これこそもっともふさわしい課題であり、伝統ある出版社としての義務でもあると考えているのです。

一九六四年四月　野間省一